Nのために

湊かなえ

双葉文庫

目次

Nのために

第一章

事件

一月二十二日、午後七時二十分頃、東京都××区××三―七―八―四八〇二、野口貴弘《のぐちたかひろ》さん(42)宅で、会社員の野口さんと妻奈央子《なおこ》さん(29)が死亡していると××署に通報が入った。

警察では現場に居合わせた四名から詳しく事情を聞いている。

N・杉下希美

杉下希美《すぎしたのぞみ》、二十二歳です。K大学文学部英文科の四年生です。

住所は――本籍地、とかですか? 両方?

本籍地は愛媛県××郡青景《あおかげ》村三七の五。ええ、村ですよ。ちなみに島です。現住所は東京都××区××二―四「野バラ荘」一〇二です。野口さんのマンションとは比べものにならないような、二階建てのボロい木造アパートです。

わたしが野口さんご夫妻と出会ったのは、一昨年の夏です。

安藤《あんどう》という、一つ年上の当時同じアパートに住んでいた友人と二人で、沖縄の石垣島《いしがきじま》に行き——安藤の就職内定祝いです——スキューバダイビングのツアーに参加したのがきっかけでした。わたしたちは安い民宿、あちらは有名なリゾートホテルに宿泊していたのですが、提携しているダイビングショップが同じだったようで、四人で初級者コースを潜ることになりました。

　わたしも安藤もスキューバダイビングこそまだ五回目でしたが、お互い出身地は違っても子どもの頃から海になじんでいたので、ダイビング中「怖い」という感覚に陥ったことはありませんでした。

　小さな無人島にボートを着け、砂浜からエントリーした一本目は、背負ったタンクの重さには愚痴をこぼしたくなりましたが、小さな色とりどりの熱帯魚を見ることができ、充分楽しむことができました。

　二本目はボートで沖に出てからのエントリーでした。マンタが見られるという有名なスポットで、それを楽しみに高いツアーに思い切って申し込んだのです。なのに、野口さんの奥さん、奈央子さんが十メートル潜ったあたりで、パニックを起こしてしまい、ボートに上がっても震えが止まらなかったので、何も見ないまま引き返すことになってしまったんです。

本当にがっかりで、ツアー代を半分返せ、って思ったのですが、言わなくてよかった。その晩、野口さんがわたしたちをホテルでの食事に招待してくださいました。お詫びに、と言われたのですが、実は、野口さんはその前からわたしたちに声をかけようと思われていたようです。

その頃、わたしと安藤は将棋にはまっていて――女子大生っぽくないですか？　高校の先生に教えてもらったんです――ダイビングの一本目と二本目のあいだの休憩にも、砂浜の椰子《やし》の木陰で、携帯用の将棋盤を広げて、昼食のおにぎりを片手に対局していたんです。野口さんも将棋がお好きらしく、遠目でひやかしに見ていると、わりとわたしたちが高度な駒の動かし方をしていることに気付き、自分もぜひ一局交えてみたいと思われたそうです。といっても、所詮素人《しろうと》レベルなんですけどね。テレビで見たプロの対局をうろ覚えで再現していただけです。

食事はすばらしかった。あんな大きなロブスターを食べたのは初めてでした。

食事のあと、ライトアップされた屋外テラスのバーで、お酒を飲みながら、安藤が野口さんのお相手をすることになりました。安藤が内定をもらった会社が、偶然にも、野口さんの勤め先だったことから、挨拶代わりに一局交えることになったんです。

わたしは奈央子さんと二人の対局を見ながら、おしゃべりをしました。主に、奈央子さんが通っているお料理サロンの話をしていたと思います。

野口さんの海外赴任《ふにん》についていくことになれば、現地の人たちをおもてなしするのは奥様の役目らしく、料理は苦手だけど、がんばって同期の中では一番出世した野口さんの足を引っ張らないように、日本にいるうちにがんばらなきゃ、と言ってたのを憶えています。

素敵なご夫妻でした。大手総合商社、M商事に勤務する野口さんは、体格もよく、身のこなしもしゃべりも颯爽《さっそう》としたかたでしたし、そこの重役の娘さんだという奈央子さんは、すらっと背が高く色白でモデルのようにきれいなうえ、やさしいかたでしたので、わたしも安藤も初めて会ったときから、お二人に憧れのような気持ちを抱いていました。

こういう人たちが実在するんだ、と見せつけられた気分です。

そんなお二人から、東京に帰ってきてからもご招待を受ければ、行かないはずがありません。お二人のお住まいは、あの有名な、五十二階建ての超高層マンション「スカイローズガーデン」の四十八階です。それも、日本にいるあいだの仮住まいというのですから、どうなっているんでしょうね……。何でも、野口さんのご実家はかなりの資産家らしいのですが、それについてご本人から、あまり詳しく聞いたことはありません。

ガイドブックに星がついているような高級レストランにも、何度か連れていってもらったことがあります。でも、将棋をするためにマンションに招待していただくことの方が多く、月に一、二度の割合で伺わせてもらっていました。大概、安藤と一緒だったのですが、昨年四月に、安藤が就職してからは、わたしだけということも多くなりました。

対局中、奈央子さんはいましたよ。変に勘ぐられると困るので、悪しからず。

野口さんとの対局は、安藤の方が多かったと思います。安藤は野口さんと同じ部署になりましたから。休憩時間によく誘われる、と言ってたことがあります。

わたしは奈央子さんと二人で出かけたことも何度かあります。映画やミュージカルを見たり、買い物をしたり、食事をしたり、妹のようにかわいがってもらっていました。

あつかましいですね、あんな素敵な人の妹だなんて。見た目も育ちもぜんぜん違うのに。

一人暮らしをしたことがないから、わたしの部屋を見てみたい、と言われて、一度だけボロアパートに来てもらったこともありました。たいした家具のない六畳間をぐるっと見回したあと、しばらく黙り込まれ、ふと思いついたように、『大草原の小さな家』みたいで素敵ね、と言われました。かわいい雑貨を集めたりするような趣味もないので、カントリー調のインテリアじゃないと思うんですけど、「開拓」ってイメージが漂っていたんでしょうか。

数日後、いつも遊んでくれているお礼に、って嫁入り道具かと思うような立派なドレッサーが届けられました。

ところが、十一月に入ったあたりから、急に外出に誘われなくなりました。気分を害するようなことを言った憶えはありませんし、最後に会ったときには、ディナーショーに行きたいわね、とか、来月素敵なカフェがオープンするそうよ、とかそれなりに予定はありそうだったので、少し心配になって、ケータイにメールを送りました。

ご無沙汰してます。お元気ですか？　――って。

でも届かなかったんです。電話もつながらず、仕方なく、休日に野口さんのケータイにかけてみました。あんなすごいところに住んでいるのに、野口さん宅には、固定電話がないんです。あと、野口さんのメールアドレスも知りません。

奈央子さんのケータイがつながらなくて、と言うとすぐに替わってもらえました。

体調がすぐれなくてごめんなさいね、と言われ、やっぱりそうだったのか、と思ったのですが、外出しないのに持っていても仕方ないから携帯電話を解約したの、と言われたのには驚きました。たいしたことない、とは言われたけれど、何か大きな病気にかかっているんじゃないか、と心配になりました。

それで一度、これもまた少し、仕事が忙しく疎遠になっていた安藤を誘って、マンションまでお見舞いに行かせてもらいました。十二月の第二土曜日、お昼からです。

電話の声もあまり元気そうじゃなかったけれど、実際お会いすると、普段から白い奈央子さんの顔が、もう透明になって消えてしまうんじゃないかと思うくらい、青白くなっていて、見ているのが痛々しいくらいでした。

でも、お二人とも温かくわたしたちを迎えてくれたように思います。

野口さん宅には野口さんの書斎、というか、ジャズなどにも興味があるらしく、防音設備の調った趣味の部屋があって、いつもはそこで将棋をするのですが、その日はリビングに将棋盤を持ってきて、安藤が野口さんのお相手をし、わたしは奈央子さんとおしゃべりをしたり、一緒にお茶を淹《い》れたりしていました。

奈央子さんの様子は、見た目より元気そうだな、と最初は安心したのですが、時間が経《た》つにつれて、ふと黙り込んだかと思うとボロボロと涙を流し始めたり、指先が震えていたりと、かなり情緒不安定な様子になってきました。野口さんは対局中、電話が鳴っても無視することもあるくらい集中されるのに、その日は奈央子さんの様子をずっと気にかけているようでした。

奈央子さんがいきなり声をあげて泣き出したときも、すぐに席を立って、「大丈夫、大丈夫だ」と言いながら抱きかかえるようにして、奥の部屋に連れていってあげていました。

お見舞いなんて、かえって迷惑をかけてしまっただけかもしれない。わたしと安藤は野口さんにお詫びを言い、引き揚げることにしました。野口さんに見送られ、玄関を出て、それ――に気付いたのは二人同時でした。違和感をどう口にしていいものかわからず、黙ったままじっとそれを見てしまいました。

ドアのチェーンです。他に二ヶ所ついている鍵は、セキュリティー万全のマンションにふさわしい、どの部分が鍵なのかもよくわからないような最新式っぽいものなのに、その下に、普通にホームセンターで売っている、うちのアパートのドアに付いているのと同じような、安っぽいチェーンが取り付けられていたんです。だから違和感を持ったわけですが、それだけではありません。

チェーンはドアの外側に付いていたんです。

例えば……。野口さん宅は出入り口がそのドア一ヶ所しかなさそうなので、強盗に押入られたとして、なんとか先に外に逃げ出して、外からチェーンをかけてしまえば、強盗を閉じこめて一一〇番することができそうですが、そんな防犯対策、聞いたことがありません。

気付かなかったことにしようか。そんなふうに安藤と目で合図しあったとき、野口さんに、「もう少しつきあってもらえないかな」とマンションの最上階にあるラウンジに誘われました。すごいですよね、ホテルじゃあるまいし、そんなのがあるなんて。エントランスには受付の人もいるし。

ドアを閉めた野口さんは、さりげなくチェーンをかけました。

何だろう……。それを見て、ぞくっとしました。自分が閉じこめられたような気がして、一瞬息苦しくなって、思わず安藤の腕を摑んでしまったくらいです。安藤も気味悪そうに見ていましたが、野口さんはすでにエレベーターに向かっていて、背中を向けていたので、どんな表情をしていたのかはわかりません。

でも、ラウンジに着いたときにはいつもの、いえ少し疲れたような顔でした。

一度、奈央子さんと一緒に連れてきてもらったときは、夜景を見下ろせる席でお酒を飲ませてもらったのですが、そのときはまだ日中、三時過ぎくらいだったので、わたしたちは奥まった席でコーヒーを飲みながら、野口さんの話を聞きました。

奈央子は先月流産したんだ、と言われました。妊娠二ヶ月で、まだ気付いていなかったときに、雨の日の外出先で転んでしまったんだそうです。

からだは回復してきているものの、精神的に不安定な状態が続いているらしく、野口さんが仕事に出ているあいだ、裸足のままふらふらと外に出て、車道に飛び出そうとしていたらしく、それを見ていた受付の人が、助けてから警察に通報してくれ、野口さんのもとに連絡が入ったそうです。

だから、他人が見れば異常な光景に見えるだろうし、自分だって監禁するようなマネはしたくなかったけれど、奈央子を守るために、ドアに外側からチェーンをかけて、出て行けないようにしているのだ、と言われました。

二人で乗り越えていかなければならないことだから、と思い誰にも言わなかったが、奈央子の症状は徐々に悪くなっているようで、正直なところ、どうすればいいのかわからないんだ。実家に帰らせようかとも思ったんだが、兄嫁と合わないみたいでね。でも、今日はとても嬉しそうだったし、いつもより落ち着いているように見えた。きみたちにとっては気が滅入ることかもしれないが、これからもときどきうちに来て、話し相手になってやってほしい。

そう言って、頭まで下げられました。わたしはチェーンをじろじろと見てしまったことを後悔しました。そして、何か自分にできることはないか、と考えてみました。外に出られないのなら、何かおいしいものを買って行ってあげようか、気持ちが落ち着くような音楽のCDをプレゼントしてあげようか、といった単純なことですが。

わたしたちでよければいつでも呼んでください。

そう言って、野口さんのマンションを後にしました。ただ、野口さんの言ったことを鵜《う》呑《の》みにしていたのはわたしだけでした。

奈央子さん、流産したなんて、かわいそうだね。でも、野口さんがいてくれたら大丈夫だよね。どんなときでも守ってくれる、って感じだもん。野口さんを見てると、本当に奈央子さんを愛してるんだな、ってものすごく伝わってくるし。かわいそうだけど、なんだかうらやましいな。

わたしのアパートで一緒に夕食をとりながら、安藤にそんなふうに言いました。

確かに、愛されてはいるんだろうね。

はっきりとした物言いをする安藤には珍しい、どこか含みのある言い方でした。言おうか言うまいか、そんな様子でしたが、問いつめると渋々と教えてくれました。あくまで社内の一部での噂だから、と前置きされて。

奈央子さんは不倫をしていた、と言うのです。

奈央子さんは結婚するまで、野口さんと同じ会社の受付嬢をしていたので、噂はあっという間に広がっていったそうです。

年下っぽい男の人と、腕を組んで歩いているのを見かけたことがある。ものすごくきれいな顔をした男の人で、奈央子さんもあの通りだから、本人たちは目立たないようにしていたつもりかもしれないけど、そこだけドラマのワンシーンのようだった。二人がホテルに入るところを見かけた人もいるらしい。

噂はそこまでだそうですが、安藤はこんなことを言いました。

奈央子さんが監禁されたのは、流産のせいじゃなくて、噂が野口さんの耳に入ったからじゃないかな。でも、噂も流産も本当だとしたら、どっちの子だったのかな。本当に転んで流産したのかな。杉下は野口さんのこと尊敬しているようだけど、あの人はそんなに立派な人じゃない。

一瞬、わたしの頭の中に、野口さんが奈央子さんを突き飛ばし、おなかを蹴る姿が思い浮かびました。

奈央子さん、大丈夫かな。

そう言いながら、二人同時に、アパートの古いドアに付いているチェーンを眺めてしまいました。

ただ、そのときは心配だったのですが、ちょうどその頃からアルバイトが忙しくなり始め——清掃会社です。年末の大掃除の時期だったので——奈央子さんのことを気にする余裕がなくなってしまいました。

それに、あの日以来、野口さんからマンションに呼ばれることもありませんでした。安藤も仕事が忙しくてほとんど連絡が取れず、結局、奈央子さんのことを思い出したのは、お正月に実家に帰ってからです。

きっかけは高校の同窓会でした。

東京に進学した成瀬《なるせ》くんが周りの子たちとアルバイトの話をしていたのですが——同じ学年で島から東京に出たのは、わたしと成瀬くんの二人だけでした。島から出るとしても関西までの人がほとんどだったので。でも、その日再会するまで、携帯番号も知らないくらい、交流はありませんでした。だから、みんなと話しているのを、席が近かったから何気なく聞いていただけなのですが……。

彼が働いているお店の名前を聞いて、ピンときたんです。『シャルティエ・広田《ひろた》』——奈央子さんが独身の頃、何度か野口さんに連れていってもらったことのあるフレンチレストランだ、って。奈央子さんと一緒に雑誌を見ていたときに、特別な日を迎えるなら、って特集でそこのお店が紹介されていて、教えてもらった、というか、自慢されました。希美ちゃんも彼に連れていってもらえばいいのに、と言われて、いろんな意味でムッとしたので憶えていたんです。

わたしは成瀬くんに、お店のことや仕事のことをいろいろと訊いてみました。そこのバイトの人たちって料理を食べられるの？　まかないは出るの？　一人最低三万円も出すような価値があるくらいおいしいの？　とか、そういったことをです。女子大生のただの知りたがりです。もし、彼に、値段の割にはたいしたことない、と言われたら、学校の知り合いにでも、さも行ってきたかのように触れ回ってやろうかな、と軽く考えていたくらいです。

くだらない。田舎者の悪いクセです。

でも、成瀬くんは料理を絶賛しました。料理に何万円も払うなんてバカバカしい、ってずっと思っていたけれど、うちの料理なら納得できる。それを聞いて、成瀬くんの家が数年前まで料亭をやっていたことを思い出しました。全盛期には島中のお祝い事がそこで行われていたという伝統のある店だったので、そこの家の子の成瀬くんなら舌も肥えているだろうし、本当においしいのだろうな、と思いました。

わたしもアルバイトをするのなら、清掃会社なんかじゃなくて、有名なレストランにすればよかった、と思いながら仕事の内容なども訊ねました。

『シャルティエ・広田』が一日一件限定の出張サービスをしていることを知ったのは、そのときです。成瀬くんは主にそっちを担当しているのだ、と言いました。足を悪くしてあまり外出できなくなった奥さんのために、ご主人がこれを頼まれた家に行ったこともあるけど、すごく喜んでもらえて嬉しかったよ。というエピソードなんかも教えてくれて、ふと思いついたんです。

奈央子さんに、これを頼んであげたらどうだろう。

噂のことも気になるし、野口さんと二人きりというよりは、わたしと安藤もいた方がいいかもしれない。石垣島で初めて会った日のように、みんなで楽しく食事ができれば、奈央子さんも元気になってくれるかもしれない。

松の内が過ぎてすぐ、一月八日の土曜日でした。野口さんのケータイに電話をかけて年始の挨拶をして、さっそく相談すると、「それは知らなかった。ぜひやろう」と言ってくれて、そのまま奈央子さんとも替わってくれました。少し調子がよくなったのか、声も明るい感じで、「楽しみだわ、ありがとう」と言ってくれました。

頼みたい料理があるらしく、予約は野口さんがしてくれることになり、日時は追って連絡すると言われました。あと、安藤には会社で自分から伝えるから、わたしからは何も言わないでほしい、とも。

将棋のためにです。

安藤に追いつめられて保留にしている対局の、巻き返し方法をわたしに相談するために、時間をずらして家に呼ぶのだと言われました。そういうことはよくあったのですが、こんなときでもか、と少しあきれてしまいました。

わたしが安藤ではなく、野口さんの味方をするのがヘンですか？

最初に、安藤を友人なんて言ったからいけないのかな？　ライバルです。だからお遊びの将棋で、たとえ野口さんを介してでも、二人で指し合うことになれば、負けたくないんです。安藤が就職してからは直接対局する時間があまり持てなかったので、野口さんに相談されるのをわりと楽しみにしていたくらいです。

でも、安藤はわたしが野口さんの味方をしていたことは知りませんでした。

数日後、野口さんから連絡をいただき、出張サービスは七時からで、マンションにはわたしが五時半、安藤が七時前に訪れることになりました。

そこで、あんなことが起こるなんて。

余計なことを思いついたわたしのせいなのでしょうか。

一月二十二日、土曜日。わたしは約束の五分前、五時二十五分にマンションに着きました。受付の人に取り次いでもらって、エレベーターに乗って、ドアの横にあるインターフォンを押しました。開けてくれたのは奈央子さんです。野口さんも隣りにいました。相変わらずドアの外側にチェーンは付いたままでしたが、奈央子さんの表情が明るくて、ホッとしました。

家で『シャルティエ・広田』のディナーを楽しめるなんて、素敵だわ。ありがとう、希美ちゃん。ありがとう、あなた――。

そう言って、野口さんの腕を取り、にっこり微笑む姿を見ると、邪魔者はこのままもう帰ってもいいんじゃないか、と思ったくらいです。でも、せっかくの食事です。遠慮なく上がらせていただきました。

ところで、出張サービスと聞いて、まさか、宅配ピザや出前のお寿司を想像なんてしていませんよね。と、えらそうに言っても、わたしも成瀬くんから聞いただけなのですが。コースになっている料理はそれぞれ保温容器に入れて運ばれて、お店の人が台所でひと品ずつお皿に盛りつけながら給仕してくれるんです。ワインも何種類か用意されていて、ソムリエのようなこともやってくれます。食器も持ってきてくれるし、食後の片付けもすべてお店の人にやってもらえます。

準備といえば、テーブルのセッティングくらいでしょうか。

奈央子さんはその準備の途中だったようで、広いダイニングテーブルの上にはたたんだままのテーブルクロスやナプキン、あと、さすがと思ったのですが、シルバーの燭台《しょくだい》と細長いキャンドルが置かれていました。一応わたしは、野口家に招待されたお客様という立場でしたが、そもそも言い出しっぺはわたしでしたし、奈央子さんにゆっくりと食事を楽しんで、元気になってもらいたい、と思っていたのに、準備をさせるのでは申し訳ないと思い、指示を出してくれればわたしが準備をするので、奈央子さんはゆっくり座っていてください、と言いました。

でも、お料理サロンで勉強したことを、みんなに見てもらえるチャンスだから、と言って断られてしまいました。テーブルの足元には燭台と同じシルバーの花瓶も用意されていたのですが、お花は注文しているけれどまだ届いていないの、とも言われました。それに、野口さんにも、そこは奈央子にまかせて、と言われました。安藤が来るまでに、どうしても作戦を練っておかなければならないからです。

わたしはさっそく野口さんの書斎に案内されました。

部屋の中央に置かれたテーブルの上に、将棋盤が置かれ、駒が並べられていました。捨て駒の位置は違いましたが、攻め駒の配置は、前回野口さん宅を訪れたあと、安藤とアパートで対局したときと同じものでした。あれからひと月以上経っていましたが、珍しくわたしが負けてしまったこともあり、その配置は完璧に憶えていました。

でも、その後の対策はまったく立てていないままでした。これはダメかもしれない、と思いましたが、野口さんの期待のこもった顔を見ると、何と言えばいいのかわかりませんでした。そこで、日頃、気になっていたことを訊いたりしながら、時間かせぎをすることにしたんです。

わたしは、なぜいつも野口さんが安藤——職場の部下とのお遊びのような対局なのに、勝ちにこだわろうとするのかが気になっていました。わたしと対局したときは、あっけなく負けて、やっぱりきみにはブレーンでいてもらった方がいいな、などと笑いながら言うのに。

たまには安藤にも勝たせてあげる、というのはいかがでしょうか。

そんなふうに言いましたが、それに対する答えは簡単でした。

部下に負けるわけにはいかないよ。仕事に関しても自分の方が優秀だなんて、勘違いされるとやっかいだからね。

早い話が上司として虚勢《きょせい》を張りたいだけだったのです。ただ、それなら自分でがんばるべきでは？　と思いました。わたしが安藤に勝てるのは、わたしが安藤に将棋を教えたので、ある程度駒の動きを予測できるからです。それなのに、安藤は野口さんにわたしがついていることを知らずに、野口さんと真剣勝負をして敗れ、この人にはかなわない、と思っているかもしれないのですから、納得できませんでした。実際、安藤は入社当時よく、野口さんはすごい人だ、というようなことを嬉しそうに言っていました。

今日は負けてもいいんじゃないの？　そんな意地悪心が出てしまいました。攻略法がまったく思いつかないわけではありませんでしたが、ここまで追いつめられるともうダメかもしれません、と言いながら、野口さんを困らせてやろうと思ったのです。

でも、そんなことしなければよかった。

そうすれば早い段階で攻略法が見つかり、わたしもリビングに出て行っていたかもしれないのに。

ここに飛車《ひしや》を持ってくるのはどうだろう、と少し的はずれな意見を言いながら駒を動かしていた野口さんのケータイが鳴ったのは、六時十五分頃だったと思います。なんとなく出張サービスからかと思い、もうそんな時間か、と自分のケータイを出して時間を確認したから憶えています。

電話の相手は安藤で、会社に寄って出てきたら、予定よりずいぶん早く着いてしまった、と言う声が聞こえてきました。なんでこんなに早く！　野口さんのイライラした口調に、このままわたしがじらしていたら、せっかくの食事が台無しになってしまうかもしれないと思い、そうだ！　と大袈裟《おおげさ》に手を打って駒を動かし始めました。

それを見た野口さんは、よしよし、といった感じで、仕事の話をしたいからラウンジに直接行って待っててくれ、と安藤に指示を出しました。それから十分ほどして、わたしがあともう少しでいけそうです、と言うと、野口さんはそろそろラウンジに上がって安藤を足止めしておくから、攻略法が完成したらメモを残しておいてくれ、と言って書斎を出て行きました。

ドアが開いた瞬間、玄関の方から奈央子さんと男の人の声が聞こえましたが、そういえば花が届くと言ってたな、とあまり気にとめませんでした。

それから、正確にはよくわかりませんが十五分から二十分くらいこもっていたと思います。ようやく攻略法が見つかりました。でも、メモを残しておくよう言われたのに、書くものが見あたらず、勝手に机の引き出しを開けるのも抵抗があったので、奈央子さんにお借りしようと思い部屋から出たんです。

そうしたら……リビングから男の人の声が聞こえてきました。「奈央子！」と叫ぶような声でした。野口さんではありません。それから、呻《うめ》くような声がして、何かあったのか、とあわてて見に行くと、男の人が背中を向けて立っていました。

何が起こったのか把握できず、声も出せず、その場に立ちすくんでいると、男の人が振り返りました。からだがびくっと震え上がりそうになったのに、顔を見て思わず、あっと声を出しそうになりました。

男の人は、西崎真人《にしざきまさと》。わたしのアパートの部屋の隣りに住んでいる人でした。

西崎さんはわたしが「野バラ荘」に入居したときから、隣りの一号室に住んでいました。引っ越してきた日に「よろしくお願いします」と挨拶はしたのですが、これといった交流はありませんでした。アパートの人たち全体がそうでした。

それが、ときどき住人同士で鍋を囲んだり、田舎から届いた野菜や果物をお裾分《すそわ》けしたりするようになったのは、三年前の秋口の台風二十一号が原因です。「野バラ荘」は築七十年という、ある意味文化財に指定されてもいいんじゃないか、と思うような古い建物でしたが、雨漏りがするとか、すきま風が吹き込んでくる、とかそういったことはまったくなく、そこそこ快適に過ごしていたところに、まさかの床上浸水でした。

わたしの部屋は一階なので、畳の上五センチまでつかりました。あとで保険会社の調査員に訊いたところ、地面から七十五センチのところまでつかっていたそうです。テレビのニュースでも大きく取りあげられていたのでご存じだと思いますが、台風が関東に上陸したのが午後七時過ぎ、まさかそんな大変なことになるとは思わず、浸水し始め、これはヤバいんじゃないかと不安になった頃にはあたりは真っ暗で、逃げるといっても、ひざ上まで泥水につかりながら、どこへ行けばいいのかもわかりませんでした。

とりあえず、高いところへ行かなければ。それだけの思いで部屋を出て、二階への外階段を上がると、隣りの西崎さんも同じように、部屋を出て階段を上がってきました。二人で、軒下に吹き込んでくる雨を受けながら、「困りましたね」とか「水かさ、まだ増えてるみたいだけどどうしよう」とか「ところで、避難所ってどこでしたっけ」とか言ってると、二階の一号室の人が出てきて、よかったらうちに上がってください、と言ってくれました。

それが、安藤です。

わたしと西崎さんはお言葉に甘えさせてもらうことにして、少しでも迷惑をかけないようにと、一度、畳が湿り始めた部屋に戻り、わたしは冷蔵庫に作り置きしていたお総菜の入ったタッパーをいくつか持って、西崎さんは缶ビール、いえ、そんな高いのじゃなくて、発泡酒やパック入りのワインを持って、安藤の部屋に上がらせてもらいました。

安藤も、気を遣わなくていいのに、と言いながら、実家から送られてきたという干物を焼いてくれて、ちょっとした酒盛りが始まりました。外は嵐。不思議な高揚感も手伝ってか、お互いすぐにうち解けることができたように思います。

自己紹介を交えながら、学校やバイトや趣味のことを話していたのですが、最初はわたしと安藤ばかりが話し――どちらの出身地の方が田舎か、ということを競い合っていたと思います――西崎さんは黙ってニヤニヤ笑いながら、おもしろそうに聞いているだけでした。

彼がいきなり饒舌《じょうぜつ》になったのは、深夜をまわってからです。ほどよく酔ってきたというのもあると思うのですが、それよりも、台風情報を見るためにつけっぱなしにしていたテレビで、古い映画が始まったからです。『細雪』でした。安藤がチャンネルを替えようとすると、西崎さんが「これを見ないのか?」とあきれたように言ったのです。

西崎さんは文学の中でも谷崎《たにざき》潤《じゅん》一郎《いちろう》が一番好きらしく、谷崎作品の中でどれが一番好きか、と訊いてきましたが、わたしも安藤も名前といくつかの代表作こそ高校の授業で習って知っているものの、一冊も読んだことはありませんでした。

読書に興味がないというわけではありません。わたしは推理小説が好きでしたし、安藤は歴史小説、特に戦国時代ものが好きでした。それなら将棋は好きかと訊ねると、興味はあるけどやったことがない、と言われたので教えてあげることになったんです。

西崎さんのことでしたね。結局、『細雪』を見ることになり、すると思った以上におもしろく、すっかりはまってしまいました。西崎さんはぜひ原作も読んでみろ、と純文学を読むことのおもしろさを説き出し、そのうち、自分は作家を目指しているのだ、と熱く語り始めました。多分、こんなことを言っていたはずです。

人間の存在意義は、無の状態から何かを創り出すことにあるはずなのに、自分の場合は望んでもいないものに埋め尽くされ、周りはそれを恵まれているという。しかし、それこそが一番の不幸というものではないか。自分の力で何かを創り出したいと願ったことのない人間に、文学が書けると思うか。夏の暑さを、冬の寒さを知らない人間に四季の描写ができると思うか。心の底から欲したものが手に入らないもどかしさを知らない人間が、妬《ねた》みや憎悪の感情を表現することができると思うか。そのために俺はまず、自分を無の状態に置き、己の欲するものを追求しているんだ。

要は、金持ちが文学小説を書くためにわざと貧乏暮らしをしている、ということです。もともとこんなところにしか住めない人の立場はどうなるんだ、と思いましたが、西崎さんがわたしたちをバカにしているようには感じられませんでした。比較的経済的に恵まれている環境で育っているのに、わざと貧乏っぷりをアピールする人のようなイヤらしさが、まったくにじみ出ていなかったからだと思います。

でも、生活のことよりも、西崎さんがそこまでして文学に打ち込まなければならない理由がわかりませんでした。今、大学を二年留年しているのですが、文学部ではなく、法学部なので、卒業がかかっているというわけでもありません。

その日はあまり込み入ったことまで訊きませんでしたが、その後、何度か一緒に食事をした、というか、西崎さんは火を通したものを食べたくない、と言ってスティック野菜をかじりながら飲んでいるばかりでしたが、そのときに、西崎さんの家は何をしているのか、どうして就職活動もせずに、作家にこだわり続けているのか、とか、訊ねたことがありました。そうしたら、自分で書いた作品を渡されて、この中に答えはすべてある、それを読み取れないようでは、話してもわからないだろうな、と言われました。

西崎さんの謎を探ろう、と推理小説を読むような気分で読んでみましたが、何が言いたいのかさっぱりわからない小説でした。飼っている小鳥が自らの意志で焼き鳥になるように、数日間えさを与えず、熱したオーブンの中にえさを入れて、その中に誘導する話なのですが、文学というよりはホラー、いえ、ブラックユーモアの気配が漂っていたように思います。安藤もよくわからないと言っていました。

わたしたちに読解力がない、わけではないと思います。それを含むいくつかの小説を西崎さんは芥川賞の候補に選ばれるような有名な文学賞の公募に送っていたのですが、毎回一次選考落ちしていたからです。西崎さんは「審査員も気が付けば望んでいないものに埋め尽くされ、それを当然のように思っているようなヤツらばかりなんだ」と言っていました。その理屈でいけば、わたしや安藤などは理解できてもいいはずなのですが……。西崎さんの考えていることは、余程、常人には理解しがたいものなのか、それとも、もしかして、たいしたことは何も考えていないのか、どちらかよくわかりませんでしたが、絶対に知りたいというわけではありませんでした。

西崎さんを見て、きれいな人だなあ、と思うことは多々ありましたが、好きとか、愛されたいとか思ったことは一度もありません。だから、友人というには、それほど理解しあっていなかったと思いますし、やはり隣人という表現が一番適切だと思います。

その西崎さんがどうして野口さんの家にいるのか。

どうして、野口さんも奈央子さんも倒れているのか。野口さんは頭から血を流してうつぶせに、奈央子さんは脇腹から血を流して仰向けに。どうして西崎さんの手に血の付いた燭台が握られているのか。

西崎さんは呆然《ぼうぜん》とした顔でわたしを見ていましたが、驚いた様子はありませんでした。わたしが野口さんの家にいることを知ってたように見えました。

わたしも西崎さんも一歩も動かず、一言もしゃべらないまま、しばらく向かい合っていました。

そこに、リビングの入り口付近の壁に設置されている、インターフォンが鳴りました。電話の音だったので、ドアの外からではなく、受付からの呼び出しでした。

誰だろう？　誰でもいいからすぐに来てほしいような、でも、来られたら困るような、複雑な気分でした。

N・成瀬慎司

成瀬慎司《しんじ》、二十二歳、T大学経済学部国際経済学科の四年生です。

住所は東京都××市××四丁目七番地二五、「タチバナアパート」の五号室です。本籍地は愛媛県××郡青景村五八番地三。これって、新聞に載ったりしないですよね。大騒ぎになりますよ、小さな島なんだから。

フレンチレストラン『シャルティエ・広田』でアルバイトを始めたのは、上京してすぐの夏からで、だいたい週に四回から五回の割合で入ってます。時給は初め九百円だったけど、幅広く仕事をこなせるようになったので、今は千五百円もらってます。主な仕事内容は、最初はホールだったけど、去年から出張サービスの方が中心になってます。オーナーの広田さんも親切だし、他のスタッフやバイト仲間もいい人ばかりだし、まかないもあるので、バイトに関しては何の不満もありません。

野口さん夫妻とはまったく面識はなかったです。

何度かご来店されたようなので、見かけたことはあるかもしれないけど、記憶にはありません。ただ、出張サービスは初めてでした。一日一件限定だから、常連さんだけですぐに予約が埋まってしまって。ほとんどオープンにしていないサービスなので、予約を受けたときは、僕が知らない人からなんて珍しいな、って思ったけど、あとでオーダーシートの住所を見ると、有名な高級マンションだったので、うちの常連さんの知り合いで、紹介を受けたんだろうな、と思いました。

だから、野口さん宅に杉下さんがいたのにはびっくりしました。

彼女に出張サービスというか、店の紹介をしたのは僕です。でも、そんなに親しいってわけじゃないです。高三のときに同じクラスだったので、席が近いときには話したことはあるけど、それくらいです。東京に出てきたことは知ってたけど、連絡を取ったことは一度もありません。

再会したのは、昨年末の高校の同窓会です。

僕だけでなく、田舎者の習性だと思うんですけど、地元に残った同級生に都会の話をするのは、誇らしいようでどこか後ろめたくて、特に、働いてるヤツの前では学生でいるってことも後ろめたくて、近況を訊かれると、バイトの話ばかりしてました。

席は三年生のときのクラスごとに分かれて、てきとうに座ってたから、その話の輪の中に杉下さんもいて、その店なら聞いたことがある、って言われて、雑誌に載っていたとか話しているうちに、気が付いたら二人で話していました。

東京の店の話なんて、地元のヤツらにはつまらないだけだから。

行ってみたいけど安くても一人三万円くらいするんだよね、でも、おいしいの？　おいしいんだあ、いいなあ、バイトの人たちってそこの料理を食べられるの？　まかないとかあるの？　そうだ、成瀬くんの家って料亭だったし、もしかして、料理作ってるの？

確か、そんなことを訊かれながら、仕事のことを話しました。僕は料理はしません。給仕がメインです。

僕の実家は四年ほど前まで料亭をやっていました。由緒正しいってほどじゃないけど、結構昔、明治の頃からやっていて、全盛期には、冠婚葬祭をはじめ島の中でのイベントはすべてうちが引き受けてたみたいです。僕が物心ついた頃には、すっかり寂《さび》れてしまってたけど、それでも週末には何かしら宴席があって、そういうのを小さい頃から見たり手伝ったりしていたので、仕事にはすぐになじめました。

さしでがましいって思いながらも、盛りつけに口出ししたこともあります。

それらが功を奏したのか、オーナーが友だちに頼まれてプライベートでやっていた出張サービスを、店の事業に取り入れることが決まったときも、かなり早い段階で声をかけてもらえました。できあがった料理を届けるだけじゃなく、皿に盛りつけなければならないし、給仕しなければならないし、ワインを選ばなければならないし、そうなると誰でもいいわけじゃなかったみたいです。ワインの知識はオーナーに叩き込まれたけど。高校を卒業してすぐに自動車の免許を取っていたので、開始と同時にそっちがメインになりました。

初めのうちは、駐車場が見つけられなかったり、階段を上ってワゴンを運ばなければならなかったり、勝手がわからない台所を使わなければならなかったりで、気を遣いすぎてクタクタになったけど、慣れてお客様と親しくなってくると、チップをもらえたり、お中元やお歳暮に届いたハムなんかをお裾分けしてもらえたりするようになったので、けっこう気に入った仕事ではありました。

女性に人気があるお店だとわかっていたけれど、杉下さんがあまりにも熱心に聞いてくれるので、出張サービス先でのちょっといい話なんかもして、よかったらどうぞ、って財布の中に何枚か入れていた店の名刺を一枚渡しました。

杉下さんはそれを財布の中にしまっていたけれど、うちのボロアパートじゃね、と言われて、どんなところに住んでいるのかはわからないけど、本物のビールを飲むなんて久しぶり、なんて言うのを聞いてると、確かに、彼女から注文が入ることはないだろうな、と思ってました。

予約を入れられたのは野口さんです。

電話に出たのは僕ですが、以前ご来店いただいたときのメイン料理を奥さんが気に入っていたらしく、それをコースに入れてもらいたい、と言われて、よくわからなかったので、オーナーに替わってもらいました。

四人分、と注文を受けました。もっと人数が多いと二人のスタッフで行くけれど、四人だと一人で充分です。常連さんの家だから、一人で行ってもトラブルに巻き込まれることはないだろう、とオーナーは言っていたし、僕もそう思ってました。

それなのに……。

注文を受けた日、一月二十二日の出張サービス担当は僕でした。

当日、予約時間の十分前、六時五十分に、エントランスで受付の人に取り次ぎを頼みました。電話をかけて少し待ってたけど、反応がないみたいで、時間指定しているのにおかしいな、と思いました。受付の人は受話器を置いて、少し待ってからお取り次ぎいたしますね、って言ったけど、料理が冷めたら困るので、オーダーシートを見せて、この時間に予約してもらっているから、ともう一度、今度はしつこく鳴らし続けてもらっていると、やっと応答がありました。

コール音が続くごとにじれてカウンターに身を乗り出してたので、受話器の向こうの声がよく聞こえました。男の人の声で「誰だ」と言ってました。受付の人が「『シャルティエ・広田』さんから出張サービスのかたが来られています」と告げると、しばらく間があいて、「キャンセルだ」と言われました。

キャンセルされたのは初めてじゃなかったです。当日体調を崩した、とか、急用が入った、って言われたことは何度かあります。失恋したから、ってのもありました。でも、あんな一方的な断られ方は初めてです。出張サービスの規約として、当日キャンセルは全額負担と決まっているので、料理だけ置いて帰る、ということも何度かしたことがありました。それも訊かなきゃならないし、お金も払ってもらわなきゃならないし、だから初めてのところはイヤなんだ、と思いながら、受付の人にもう一度呼び出しを頼みました。

今度はすぐに応答がありました。

替わってほしい、と言われました。受付の人はそう言って僕に受話器を差し出しました。わけがわからないまま、受け取ると。

成瀬くんでしょ、助けて！

女の人の声でいきなり名前を呼ばれてびっくりしました。誰の声かわからなかったけど、名指しされたから条件反射みたいに、駆け出してしまいました。ワゴンはエントランスに置いたままです。エレベーターで目的の部屋に行って、インターフォンを押しても反応はなくて、ドアに手をかけると、鍵がかかってなかったから——。

チェーンですか？　そういえばあったような気がするけど、全然気にとめてませんでした。それが、何か？　確認？　だから、鍵はかかっていませんでした、って。

ドアを開けて、『シャルティエ・広田』です、って声をかけると、手前の部屋から……。杉下さんが出てきました。

蒼白な顔をして、ふらふらとした足取りで近づいてきた彼女は一言、「警察を」ってつぶやきました。そこですぐに一一〇番通報すればよかったのかもしれないけど、いきなり杉下さんが出てきたことにもびっくりしたし、状況がまったく把握できていなかったので、とりあえず、何かあったのか、って訊いてみることにしました。

まさか、奥で野口夫妻が死んでいて、さらに、殺したヤツがそこにいるとは、思ってもいませんでした。

N・西崎真人

西崎真人、二十四歳。職業、作家。デビューはしてない。自称はいいって？　失礼だな。じゃあ、M大学法学部法律学科の四年生、二年留年してるけど。

住所は東京都××区××二ー四「野バラ荘」一〇一。本籍地は……この件には関係ないと思うんだけど、いるの？　仕方ないな。神奈川県××市××二七四五の三。でも、とっくに勘当されてるから、そこんちの人に俺のこと訊いても、知らない、って言われるんじゃないかな。

で、何から話せばいいの？　奈央子のこと？

彼女は俺の女神——そういうことじゃねぇんだよな。

奈央子に出会ったのは、半年前。夏の雨の日の夕方で、本屋から帰ってくると、隣室の杉下の部屋の前で、見知らぬ女がひざをかかえてうずくまってた。それが彼女。

目が合ったから軽く会釈《えしゃく》して、部屋に入ったけど、しばらくしてカーテンを閉めようとして、ついでに窓の外を見たら、まだ彼女がそこにいたから、気になって外に出た。

彼女は俺に不審に思われていると思ったのか、希美ちゃんを訪ねてきたんだけど、彼女はいつも何時頃帰ってくるのかしら、と先に話しかけてきた。

ああ、ノゾミちゃん、って杉下の方ね。

付き合いがあったとはいえ、杉下の予定を把握しているほど親しくはなかったけど、彼女はバイト、確か、清掃会社で働いていて、夜間シフトに入ると帰ってくるのは明け方になる、というのを聞いたことがあったから、もしそれなら、晩までに帰ってくるかどうかは怪しい、と答えた。

どうにかして連絡を取れないかしら、と言われたけど、俺は杉下の携帯番号を知らなかったし、奈央子はあわてて出てきたから携帯電話を忘れてしまったらしく、直接連絡を取ることはできなかった。

でも、奈央子はもうしばらくここで待つと言って……。暗いし、雨脚は激しくなって、軒下まで吹き込んでいたし、実際彼女は傘をささずにここまで来たのかかなり濡れていて、とても寒そうにしていたから、なんだかほうっておけなくて、よかったら、うちで待ちませんか？　って言ってみた。下心なんてまったくなかったよ、そのときはね。

奈央子は少し警戒していたけど、ドアの鍵は開けときますから、って言うと、ではお願いします、と部屋に上がってきた。バスタオルを渡して、熱いコーヒーを淹れて、少し落ち着いた頃かな。

希美ちゃんと仲がいいの？　と訊かれた。まったく知らない人間の部屋にいるのは不安だよな、と思って、彼女をリラックスさせるために、杉下のことを話すことにした。

台風がきっかけで、杉下や去年まで上の部屋に住んでいた安藤というヤツと仲良くなったこと、たまに一緒に飲んだりすること。

まあ、安藤さんもご存じなの？　と奈央子はそいつのことも知っていた。少しずつ警戒心を解いていったようで、狭い部屋を見回し始めて、杉下の私物、というか俺の部屋では浮いているものをいくつか見つけた。いるか模様のマグカップとか、いちご模様の箸とか、メシの道具ばっかり。

もしかして、恋人同士なの？

あんたも今思ってるかもしれないけど、奈央子にそう訊かれた。でも、俺はそれで、奈央子と杉下はそれほど親しい間柄ではないってことがわかった。杉下の世界にはそいつしか存在しないんじゃないか、ってくらい愛されてるヤツがいて、そいつと俺は似ても似つかないタイプだったからね。

ただそれは狂おしいほどの片思いで、ときに杉下はそれに飲み込まれてしまうんじゃないかと心配になることもあったから、どうにかしてやりたくて、あいつに俺の作品を読ませてやったんだけど。

期待に反して、まったく理解できなかったらしい。文学に疎《うと》いヤツに限って、文学的な人生を送ってんだから、世の中ってのは皮肉なもんだ。

まあ、こっちはあいつの好きな将棋を理解できなかったし、趣味が合わないのはお互い様ってとこだけど、お互い無理して相手に好かれようとしない、ってとこには共感できて、居心地のいい関係だったかな。

恋人かどうかは答えないまま、奈央子に、そっちは杉下とどういう関係？　って訊ねると、何かしら、って微笑みながらこんなことを言った。

希美ちゃんが手に入れたいものが何なのか、わたしにはわかる。それがとてもつまらないものだってこともわかる。なのに、わたしは希美ちゃんがうらやましい。手に入れたいものがある彼女がうらやましい。だけどわたしは希美ちゃんにはなりたくない。——そういう関係。

同じ思いだった。

俺もあいつらがうらやましかった。

この人なら俺の作品を理解してくれるかも。そんな気がして、初対面にもかかわらず、一番の自信作を彼女に見せた。すると、彼女は涙を流し始めた。

あなたは檻の中から逃げてきたのね。わたしと一緒。

奈央子は、暴力で自分を束縛しようとする夫から逃げ出してきた、と言った。ブラウスの袖を少しまくりあげただけで彼女が嘘をついていないということがわかった。透き通るような白い肌に浮かび上がった赤黒い痣《あざ》は、出口を求める押し殺した悲鳴のようで、俺はひとつひとつの叫びを聞いてやらずにはいられなかった。

もっとわかりやすく話せって？　奈央子とヤッたかヤラなかったか、それをはっきり言わせたいの？　下世話だねぇ。崇高な行為をこんな言葉に置き換えちまってるから、文学を理解できる人間がいなくなるんだ。

ヤッたよ。ヤ・リ・マ・シ・タ。——どう？　これで満足？

終電間際になっても杉下が帰ってきた気配はなく、俺は奈央子に、うちでよければいつまでもいてくれていい、って言ったけど、彼女は「帰る」と言った。せめて杉下が帰ってくるまで待てば？　って引き留めたけど、「あなたに出会えたから、もういい」って。

あと、二人が出会ったことは希美ちゃんには内緒にしましょうね、とも。

杉下を訪ねてきたのに、どういうことだろう、って思ったけど、「希美ちゃんは主人に取り入って、就職の口利きをしてもらおうとしてるから、わたしのことを裏切るかもしれない」って言われて納得できた。

そのとき、就職活動の真っ最中だった杉下は、田舎には絶対に帰りたくない、ってよく言ってたし、いざとなったらそういうこともするかもしれないな、って思ったから。あ、これ、杉下には内緒ね。

杉下の就職？　どこか、大きな会社に決まったって聞いたけど。それって、今、関係ないんじゃないの？

奈央子と二人で会うときは、アパートから離れた場所で待ち合わせをすることにした。

でも、会えたのはせいぜい月二回、両手で数えられるくらいかな。十一月に入って突然、携帯電話がつながらなくなって、暴力ダンナにバレたんだって思った。

やましいことが何もないときから暴力を振るわれていたのに、男がいたと知られたら彼女はどうなってしまうのか。それを考えると夜も眠れなかった。杉下に相談してみようか、とも思ったけど、もしかすると、俺たちのことをバラしたのは杉下じゃないか、とも疑って、やめた。

かといって、他に何もいい案が浮かばず、毎晩、夢の中に悪魔のようなダンナに暴力を振るわれる奈央子が出てきて、うなされるばかりだった。

それが、年が明けて、十日だったかな、彼女から連絡が入った。公衆電話からだった。監禁されている、って言われた。携帯電話も解約され、ドアの外にチェーンが付けられている。今は夫と食事に出ていて、ようやく少しのあいだ抜け出せたのだ、って。

助けて、と彼女は言った。頭の中にあの赤黒い痣が浮かんだ。どうすればいい？

来週末、家に希美ちゃんたちが食事に来ることになっていて、夫は彼女たちとしばらく書斎にこもって将棋をするはずだから、そのときに連れ出してほしい。この電話は、今、急に思いついて『ラ・フルール・マキコ』という花屋に赤いバラを夕方六時に配達してくれるよう注文したことにするから、その花屋のフリをして来てほしい。

事件当日、俺は奈央子に指定された花屋で赤いバラを買った。もし、玄関にダンナが出てきても疑われないように、事前にそこの店員の服装も確認していた。白のシャツと黒のパンツ、その上から黒いエプロンという恰好だったから、偽物を調達するのに手間はかかんなかったよ。

マンションに着いたのは六時半前。花を買うヤツがあんなにいるなんてな。イラついてたうえに、こんな鳥籠みたいな狭いところに奈央子を閉じこめやがって、と怒りがこみ上げてきた。受付に取り次ぎをさせて、エレベーターで部屋まで上がると、ドアの外側にチェーンが付いていた。

まったく狂ってるとしか言えない。絶対に連れ出さなければ、彼女が殺されてしまうような気がした。

インターフォンを押して、祈るような気持ちで待ってると、ドアを開けてくれたのは、奈央子だった。奈央子、奈央子、俺の奈央子……。

ためらう間もなく、俺は彼女の手を引いた。

それなのに、彼女はドアから出ようとはしなかった。ドアの外をじっと見つめながら、「殺される」とつぶやいて、その場から動こうとせず、震え出した。

大丈夫、俺がついてるから。そう言って連れ出そうとしたけれど、彼女は首を振り、俺を中に引き入れると、ドアを閉め、とうとうその場にうずくまってしまった。そこに、ダンナが出てきた。

おい、何してるんだ。怒鳴りながら俺に詰め寄ってきて、多分、本当の花屋の店員だったとしても、そいつが男だったら殴られていたんじゃないかな。こっちの言い分を何も聞かないまま、ドアに押しつけられて、何度も殴りつけられた。

抵抗？　しようとしたけど、最初の一発目がこめかみにヒットしたせいで、意識がぶっとびかけてて、されるがまま。俺死ぬのかな、って思ったくらい。そのとき、奈央子が「やめて」って叫んで、あいつの手は止まったけど……。

そのせいで怒りの矛先は彼女に向いてしまった。

彼女は手前のドアが開いたままの部屋に逃げていって、ダンナもそのあとを追いかけた。俺もすぐに追いかけようとしたけれど、頭が朦朧《もうろう》として、足がもつれて立ち上がれなくて……そうしたら。

俺を裏切るのか！　あいつの叫ぶような声が響いて、やめて、って彼女のか細い声が聞こえて、気力をふりしぼって立ち上がって、部屋の中に入っていくと、奥にあるキッチンのシンク前に彼女が倒れてて、脇腹のあたりが赤く染まってて、包丁か何か刃物が刺さってた。

あいつは俺が入ってきたのに気付いてなかったのか、背中を向けたまま奈央子を見下ろしてた。テーブルの上なんかもぐちゃぐちゃになってて、もしかすると、包丁を最初に手に取ったのは彼女かもしれないけど、俺にはそんなこと関係なくて。

気が付くと、足元に落ちてた燭台を拾い上げて、ゆっくりと近づき、後ろからあいつの頭めがけて、思い切り振り下ろしてた。

——野口を殺したのは、俺。

低い声をあげて倒れたまま動かなくなったあいつを、俺はぼんやりと見下ろしてた。自分が何をしたのか、よくわからないまま。皮肉にも、奈央子を刺したあとのあいつと同じ状態になっていたのかもしれない。

足音なんかまったく耳に入ってこず、急に背後に気配を感じて、振り向くと……。

杉下が立っていた。

今来たのか、とっくに来ていたのか、いつから見ていたのか、どこから見ていたのか。どうすればいい？　事情を話すか、このまま逃げるか。俺がそんなことを思ってるあいだも、彼女は一言も発さず呆然と俺を見てた。

もし、このまま逃げれば、杉下は俺をかばってくれるだろうか。

杉下を殺して逃げる、という考えは浮かばなかった。もともと誰かを殺そうと思って来たわけじゃなかったから。

そこに、インターフォンが鳴った。電話のコール音で、無視していたら切れたけど、またすぐに鳴り出して、今度はさっきよりも長く鳴り続けた。

今逃げても、これを鳴らしているヤツが下にいる。不審に思われるかもしれない。

そう思い受話器を取ると、レストランの出張サービスだと言われ、それならすぐに追い返せると、キャンセルを告げた。

だからといって、事態の収拾策が浮かんだわけじゃない。

そのあいだも、杉下は黙って俺を見ていた。目の前の光景が信じがたく、言葉がでないといった様子で。とりあえずこの場は杉下を連れて逃げようか、とも思った。

そうしたら、またインターフォンが鳴って、今度こそ無視しようかと思ったら、いきなり杉下が受話器を取って、店の人に替わってください、なんとかくんでしょ、助けて、と叫んで……。全部、あきらめた。

もう逃げられないし、逃げても無駄だということもわかってた。それよりも、奈央子のいない世界に何も価値がないということにようやく気が付いた。ほどなくして、今度はインターフォンからピンポン、という音がして、身構えていると、ドアが開く音がして、『シャルティエ・広田』です、と声がした。

はじかれるように杉下が駆け出て、そのまま通報されるのかと思ったら、そいつ、コックみたいな恰好をした成瀬ってヤツを連れて入ってきた。同級生だから、って。それが何の関係があるのかわからなかったけど、知り合いが来たことに安心したのか、杉下もようやく、もとのあいつらしくなっていった。

この人はアパートの隣りに住んでる西崎さん、と成瀬に俺を紹介したくらいだ。

成瀬は惨状を目《ま》の当たりにしながら、俺より年下のはずなのに、わりと冷静な感じで、杉下に「何があったの？」と訊ねた。それは俺も知りたかった。杉下が見たことを。

わからない。奥の防音の部屋にずっといて、何か書くものを借りようと思ってドアを開けたら、リビングから呻き声がして、見に来たら、西崎さんがいて、こんなことになってた。

杉下はそう言った。何も見ていないのか。とっさに、ごまかそうか、と思った。

野口夫妻が互いに言い争いになって、殺し合ったことにしようか。でも、それでは、死んだとはいえ、奈央子が犯罪者ということになる。自分を守るためとはいえ、そんな卑怯なことはできなかった。それに。

俺は奈央子を殺したヤツを手にかけた。ある意味、復讐だ。そういった行動に出た自分を悔やむ気にはならなかった。失うものは何もない。それなら、奈央子のことだけを思いながら、それに見合った刑を受けようと思った。

俺のこと、くそ生意気なガキ、って思いながら聞いてたかもしれないけど、これだけは本心――です。

俺は杉下と成瀬に、こういうことになったいきさつを含めて、ありのまま打ち明けた。杉下は俺と奈央子がつきあってたことには驚いてたけど、奈央子が暴力を受けたり、監禁されていることは知っていたらしく、どうにか助けてやりたいと思ってたみたいで、「西崎さんは悪くない。だって襲われている奈央子さんを助けようとしたんでしょ」と言ってくれた。あのときすぐに起き上がって、奈央子が刺される前にそれができていたらどんなによかったか。

俺と杉下は奈央子の脇に座り、助けられなくてゴメン、と互いに言いながら泣いた。美しい彼女の姿を目に焼き付けておこう、やわらかい肌の感触をこの手で憶えておこう。そう思って、彼女にふれた途端……。

触らない方がいい、って成瀬に制止された。通報が遅くなるほど、不利になるのはあなただから、って。あいつを呼んだ杉下の判断は正しかった、んですかね。

成瀬は携帯電話を取り出して、一一〇番通報した。

でも、来訪者はそれで終わりじゃなかった。

仮に成瀬が来なくても、時間差で安藤が同じことをしたんじゃないかな。

何？　まだ訊きたいことがあるの？

――奈央子が流産？　そんなこと、一言も聞いてない。

残念だけど、俺の子じゃないってことだけは百パーセント言い切れる。

N・安藤望

安藤望《のぞみ》、二十三歳です。M商事営業部に勤務しています。

住所は、千葉県××市××二四の三の三〇三、会社の独身寮です。本籍地は長崎県××市千早《ちはや》五六七二の四、千早島という人口三千人弱の小さな島です。

杉下も同じ話をすると思いますが、野口夫妻と出会ったのは、一昨年の夏、石垣島に行ったときです。将棋とスキューバダイビングが縁で、旅行後も、食事に誘っていただいたり、家に招いていただいたりするようになりました。

しかし、私がM商事に入社できたのは野口さんの口利きがあったからではないか、という社内での噂は、まったくの誤解です。

野口さんに出会ったときには、すでに内定をもらっていましたから。

野口さんは「なんだ、もっと早く会っていれば、暑い時期に苦労しなくてすんだのに」と言ってくれましたが、人生を左右するであろう重要な岐路で、他人の恩にすがらなければならないほど、私は無能な人間ではないと思っています。

ただ入社後、人気の高い営業部プロジェクト課に配属されたのは、課長である野口さんの引きがあったからだと思います。

野口さんは優秀で部下の面倒見もよく、課の全員から慕われていて、そんな野口さんとプライベートでも親しくさせていただいていることを、入社当時は大変誇らしく思っていました。すべては、杉下のおかげです。

学生時代に住んでいたアパート「野バラ荘」で杉下や西崎さんと親しくなったのは、台風がきっかけでした。西崎さんは独特な雰囲気があって、私は少し苦手だったのですが、杉下とは地方の島の出身、そして同じ名前という大きな共通点もあり、とても気が合い、親友と呼べる間柄になりました。

将棋を教えてくれたのも、スキューバダイビングに誘ってくれたのも杉下です。

ただ、少しずつ会社に慣れていくと、みなが野口さんを高く評価しているわけではない、ということがだんだんとわかってきました。お世話になったかたですし、亡くなったかたの悪口を言うのも気が引けるのですが……。

実は野口さんは手柄を独占したがるようなところがあったんです。

例えば、野口さんがチームリーダーのプロジェクトが成功すれば、野口さんが評価されるのは当たり前なのですが、さも、自分一人で成功させたかのような言い方を上司にするんです。チームのメンバーを成功祝いと称して、高級な焼き肉屋に連れていって奢《おご》ってくれたりはするので、そのときは労《ねぎら》われているような気分になるのですが、社内の評価には反映されていない、というか、上手く使われただけのようなかたちになってしまうんです。

私はまだ新入社員で、野口さんのチームに入ったのも一度だけでしたが、長いあいだ同じ部署にいる人たちは、裏でかなり不満を漏らしていたようです。

ただ、事業が成功しているうちはそれでもよかったのかもしれません。

昨年十月、野口さんのチームは会社全体に大きな損失を与えてしまうような失敗をしてしまいました。新聞にも載りましたが、例の油田開発事業です。チームがどうこうというより、課全体が連日てんやわんやの忙しさで、みなストレスがたまっていたのだと思います。矛先は全部野口さんに向いてしまったかのようでした。

最初は野口さん自身についての中傷が、次第に奥さんの奈央子さんの名前まで流れるようになっていきました。奈央子さんは専務のお嬢さんで、野口さんと結婚するまでは、うちの会社の受付嬢をやっていたので、かなりの人が知っていました。

若くてきれいな顔をした男と歩いていた、腕を組んでいた、ホテルに入るところを見かけた。

どこまでが本当のことかわかりませんが、私には信じられませんでした。私の見る限り、奈央子さんは野口さんに守られていなければ生きていけないのではないか、と思うほど、野口さんを愛し、愛されるよう寄り添っていたからです。

しかし、噂はエスカレートする一方でした。中には、匿名《とくめい》で野口さんを中傷するメールを流す人もいたので、野口さんがまったく何も気付いていない、ということはなかったと思います。

そうなると、逆に私は、野口さんを見直すようになりました。精神的にかなりまいっているはずなのに、精力的に事業の巻き返しに取り組み、社内で感情的な言動をとることなく、以前と変わらない態度でみなに接していたからです。

将棋にも誘っていただきました。自分が不利になってくると、中断して後日に持ち越そうとするのは相変わらずでしたが、すぐに勝負が決まってしまうよりも、野口さんがどんな作戦を考えてくるのか、予測するのが楽しみでもあったので、毎回二つ返事で中断を受け入れていました。結局はそれで、負かされてしまうんですけどね。

野口さんは対局中、将棋以外のことはまったく口にしないのですが、将棋盤を挟んで、真剣に向かい合っていると、噂など全部嘘なんだ、と思えてきました。

そんなときです、杉下から連絡があったのは。

奈央子さんの様子がおかしい、重い病気かもしれないから、一緒にお見舞いに行かないか、と誘われたのです。

そこで、見てはならないものを見てしまいました。

ドアの外側に付けられたチェーンです。

どんなに奈央子さんを気遣う姿を見せられても、すべて演技なんじゃないか、と不信感がこみ上げてくるくらい、あのチェーンは私の目に不気味なものとして映りました。チェーンに気付いた私と杉下に、野口さんは、奈央子さんは流産して精神的に不安定になっていて、ふらりと突然出て行ったこともあるから、仕方なく取り付けたのだ、と言いましたが、それなら他にもっとよい手段があるのではないか、と思いました。

あれは、どう見ても、奈央子さんのためにやっているものではない。

杉下も不信感を募らせていましたが、警察に通報するようなことではないと思いました。所詮、よその夫婦の問題です。仕事に追われているうちに、チェーンのことなどすっかりと頭から抜け落ちてしまいました。

野口さんとは会社で毎日顔を合わせていましたが、私は日中ほとんど外回りをしていましたので、プライベートな話をすることのないまま、正月休みを迎えました。

どこで、ですか？　就職して一年目ですし、とりあえず実家に帰りました。

野口さんから食事の招待を受けたのは、年明けの十二日、水曜日でした。その前の週の対局が、私がかなり有利にすすめた状態で中断されていたので、攻略法を思いつき、再開するためかと思ったのですが、奈央子さんを元気づけるパーティーだ、と言われました。

かなり元気になってきたから、ぜひ会いに来てやってほしい、と。

実は提案してくれたのは杉下なのだ、と聞き、あの日のことを、すっかり他人事《ひとごと》にしてしまっていた自分を反省しました。

しかし、結局、その日に対局も再開することになり、晩の七時前に来るように、と言われました。


あの日、マンションに到着したのは六時過ぎでした。

その日のうちに仕上げておきたい報告書があって、休日出勤していたのですが、思っていたより早く仕上がり、特にすることもなかったので、早めに行かせてもらうことにしたんです。

エントランス前で野口さんに電話をすると、仕事の話をしたいから、ラウンジに直接行って待っててくれ、と言われました。

受付で、野口さんとの待ち合わせでラウンジに行くことを告げ、エレベーターで最上階に行きましたが、窓際の席で先にコーヒーを頼んで、しばらく待っていても、野口さんは現れませんでした。しかし、ラウンジに、と言われたときから、その予感はしていました。電話でも、イライラとした様子は伝わってきましたから。

きっと今頃、あわててこのあいだの対局の巻き返し方を考えているんだろうな、とカウンターに置いてある雑誌を借りて、時間をつぶすことにしました。

普段、ゆっくりできる時間がとれていなかったせいか、少しうとうとしてしまったようです。ハッと目を覚まし、時計を見ると、七時半少し前だったので、あわてて席を立ちました。もしかして、野口さんはここに来たけれど、気を遣って戻っていかれたのかもしれない、と思い、ラウンジのマスターに、野口さんが来られませんでしたか？　と訊ねたのですが、それは杞憂《きゆう》だったみたいです。

きっと、まだ将棋盤を睨《にら》み付けているのだろうな、と思いながら部屋に向かいました。

相変わらずチェーンが付いていることに驚きました。

インターフォンを鳴らすと、杉下が出てきましたが、中には入らないで、と言われました。将棋のための足止めだとしても、約束の時間は過ぎているし、この扱いはひどいのではないか、と思いました。

負けてやってもいいし、むしろそうなった方がありがたいから、今から教える手を杉下が思いついたことにして、こっそり野口さんに教えてきてほしい。

そんな、今思えば滑稽なほど悠長なことを杉下に言ってると、エレベーターから制服姿の警察官や救急隊が降りてきて、こちらに向かってきたので、驚きました。結局、私は野口さん宅には入らないまま、今に至っています。

事情を聞いた今でも、あのドアの向こうで野口夫妻が死んでいたなんて、信じられません。そして、あの場に西崎さんがいたということも。

受付担当者の証言

五時二十五分、野口様宅へ杉下様お取り次ぎ。

六時十五分、ラウンジへ野口様ご面会予定の安藤様お取り次ぎ。

六時二十五分、野口様宅へ『ラ・フルール・マキコ』様お取り次ぎ。

六時五十分、野口様宅へ『シャルティエ・広田』様お取り次ぎ。

——以上の記録に間違いはありません。なお、警察のかたが来られるまでに、これらのかたがたが、エントランスを出入りされる、ということもありませんでした。

当マンションには、こちらのエントランスの他に、地下駐車場に直結するドアが、あちらのエレベーターの奥、非常階段の横にありますが、そこ専用のカードキーは住人と申請書を提出している関係者しか持てない決まりになっています。

ラウンジ担当者の証言

こちらの写真のかたでしたら、夕方六時半頃から一時間ほど、あちらの窓際の席でお過ごしになられていましたよ。ホットコーヒーを注文されて、雑誌を何冊かお貸ししたのですが、気持ちよさそうにお休みになられていたので、よく憶えております。お出になられる前に、野口様が来られたか、と訊ねられましたが、そのようなことはございませんでした。

当日の売り上げレシートに、お会計をされた時刻が十九時二十五分、と記録されておりますので、ご確認ください。

判決

主文
被告人を懲役十年に処する。
訴訟費用は被告人の負担とする。

十年後

今の若いヤツらは自分のことしか考えていない。

そんな言葉を聞くたびに、もう若いと言える年齢ではなくなったけれど、それは違う、と心の中で反論してしまう。

長くて半年、という余命宣告を受けてしまったとき、結婚しなくてよかった、子どもを作らなくてよかった、と思った。

自分がこの世から消えてしまうのは、少し怖いけれど、悲しいとは思わない。それは、消えても悲しむ人がいないから。

田舎の両親と弟は少し悲しむかもしれない。でも、その後の人生を無気力に過ごしてしまわざるを得ないほどには悲しまないはず。大切に思ってくれる人はいても、一番だと思ってくれる人はいない。

かつては、一人、いたかもしれない。

きっと、あのときの全員にいたはずだ。

その人のためなら自分を犠牲にしてもかまわない。その人のためならどんな嘘でもつける。その人のためなら何でもできる。その人のためなら殺人者にもなれる。

みんな一番大切な人のことだけを考えた。一番大切な人が一番傷つかない方法を考えた。すべてを把握できなくても、大切な人を守れたのなら、それで満足だったのか、誰も真実を詮索しようとしなかった。

自分が守ってあげたことを、相手は知らない。知らせたいと思わない。

なのに、残された時間がわずかと知ると、欲が出てしまう。

あれからもう、十年も経つというのに。

あの事件に関わった人たちが、誰のために、何をやったのか。どうしてそんなことができたのか。

真実をすべて知りたい。そして、知らせたい。

第二章

想定していたのは二パターン。

王子がお姫様を連れ出したあと、大王が追いかけてこないように足止めをする。

または、失敗した王子の代わりに、お姫様を連れ出す。

できれば前者であってほしいと願いながら、僕は塔の上へと向かったはずだった。

穏やかな波打ち際の藻のような、意志を持たずに流れに身をまかせるだけの平凡な人生に区切りをつける、ささやかなイベント——のはずだった。

悪の大王によって塔の上に幽閉されたかわいそうなお姫様を救出する。王子は「ラプンツェル」がどうのと言っていたけれど、僕はその物語を知らない。

今回の物語の登場人物は、悪の大王、お姫様、王子、王子の家来①、同じく②——の僕。たいした役割じゃない。だからこそ、成功すれば楽しいし、失敗してもリスクを負うことはない。

その程度のノリだったはずなのに、今、僕の足元には死体が二つ。

悪の大王とお姫様。——なんて、ふざけた表現をしている場合じゃない。

いったい何が起こったんだ。

「計画は失敗だ」

無言のまま顔を上げた僕に、死体を挟むようなかたちで目の前に立っている王子が力なく言うと、僕の隣りに立っていた王子の家来①が、下を向いたまま「ごめんね」と小さな声でつぶやいた。

杉下希美。

大変な状況にはなっているけれど、少なくとも、僕が謝られなければならないことは何もない。むしろ、今から僕が、きみのために何をするべきか、考えなければならないんじゃないだろうか。

そもそも、僕がこの計画に手を貸すことに決めたのは、きみのためなのだから。


運命の再会、ってわけじゃない。

人口五千人にも満たない小さな島へ渡る、古びた無人のフェリー乗り場の待合いに、高校三年生の頃に気になっていた女の子が入ってきたからといって、運命を感じるような純粋なヤツなんて、これから向かうド田舎にもあまりいないんじゃないかと思う。

フェリーは一日二便。午前と午後に一往復ずつ。その午後の便。おまけに年末、クリスマス明け、大学生の帰省シーズンまっただ中、ってところ。誰かに会うのは当然だ。だからといって、気安くこちらから声をかけることはできない。僕から彼女に声をかける資格はない。

入り口付近にある自販機で温かい缶コーヒーを買う彼女。ミルクたっぷりマイルド風味。そのまま振り向いて僕を見つけ、「あ、成瀬くん」と言って、色あせた狭いプラスティックのベンチに座っている僕の隣りに、当たり前のように座られたら、そして、僕の片手を見て「相変わらずそれなんだね」なんて笑いながら言われると、頭の中に「運命」って言葉がドーンと浮かび上がってきたりするんだろうな。

――と思っているうちに彼女はそのまま外に出て、桟橋《さんばし》に到着したばかりのフェリーに向かって歩いていった。

少しあいだをおいてから、僕もフェリーに向かう。

客室のドアの前まで来たものの、入ってすぐのところに彼女が座っているような気がして、中には入らずに、デッキの椅子に座ることにした。風はあるけれど、やせ我慢《がまん》するほどの寒さじゃない。『いい日旅立ち』のメロディに合わせてフェリーが動き始める。コートのポケットから缶コーヒーを取り出し、プルトップを引いた。島民がフェリーに乗ったときの習慣だ。

きっと、彼女も今頃、さっき買った缶コーヒーのプルトップを引いているはず。

手の中の缶を見る。ミルクたっぷりマイルド風味なんて、小柄な彼女には似合っても、でかいだけが特徴の僕にはまったく似合っていない。

「普段はブラックとかの方が好きなんだけど、なんか、疲れたときって、いいよな、こういうの」

初めて二人で下校した日、途中の自販機で、当たり前のようにボタンを押してしまってから、あわてて言い訳をすると、「おいしいよね。わたしはいつもこれだよ」って言われて。

——っていうか、つきあっていたわけでもないのに、なに浸ってんだ?

ただの同級生、クラスメイトなのに。いや、それだけなら、今すぐにでも客室に入っていって「久しぶり」って声をかけることができる。「明後日《あさって》の同窓会、行くの?」とか。

高校時代の同窓会。島でたった一つの高校、正確には、隣りの少し大きな島にある高校の分校。だから、メンバーは小学校のときからほとんど同じ。わざわざ、高校時代の、とつける必要はない。青景島小学校、青景島中学校、青景島分校、履歴書に並べて書いて、バイト先の私学の有名校にずっと通っていたヤツに、「おまえもエスカレーター式か」と訊かれたことがある。

確かに受験とは無縁だったけれど、そんなご立派なもんじゃない。

三角おにぎりみたいなかたちの、小さな島が見えてきた。

青景島。

狭く息苦しい空間、のはずだった。

島を出たばかりの頃は解放感に浸りきり、二度とあんなところに帰るか、と思っていたけれど、四年近くも経《た》つとどこか恋しく、就職もバイトの延長みたいなものだし、いっそ卒業を機にいつでも帰れるくらいの距離あたりまで戻ってみようか、などと考えてしまうことがある。

そんなところに同窓会の案内状。幹事の名前は想像通り。同窓会を企画するのは、あの島での生活が人生のピークだったヤツらだ。おもしろくて、調子がよく、そこそこ勉強やスポーツができ、自己主張が強いヤツら。狭い世界で威張ろうとするから、自分より少しばかり劣るヤツらを徹底的に貶《おとし》め、自分より少しばかりできるヤツらをつまらない別のことで貶めようとする。

ウドの大木がでしゃばってんじゃねーよ。

自己主張が強く、授業中大きな声で発表しているヤツらがえらいと、みんなが誤解していた小学生の頃が一番マシだった。同じメンバーで中学生になり、中間考査や期末考査というものが行われるようになると、ヤツらは自分たちよりも目立たない集団の中に、できるヤツがいるということを知った。そして、狭い教室でテストの最高点が発表されるたびに、そいつを小バカにして笑う。

そいつだって島から出れば、たいしたことはないのに。そんなことには気付こうともしない。自分たちの王国を守ることに必死だ。そして、何も知らずに島から出て、数ヶ月も経たないうちに打ちのめされ、そのキズを癒《いや》すために同窓会を開く。

俺って頭よかったよな。スポーツできたよな。けっこうもててたよな。

それに調子を合わせるのは、同じように打ちのめされて帰ってきたヤツらだけ。

出席しなくてもどんな感じになるのか、充分想定できたし、あんなヤツら二度と会いたくない、と思ってたはずなのに、つい「出席」に丸をつけてしまった。自分のふがいなさを全部島のせいにして、必要以上に嫌悪していたことにようやく気付いて。

杉下は出席するのだろうか。

彼女もまた、島の息苦しさに耐えきれずにいた一人だったはずだ。

一年前にできたというファミリー居酒屋は、飲食業が厳しくなった島内で、そこそこ繁盛しているらしい。

いまいち乗り気のしない集まりだけど、数千円という会費なら、行ってもいいか、という気分になれるのかもしれない。

美味《うま》いメシなど必要ない。適度に腹を満たし、酒を飲みながら気軽につまめればそれでいい。塩と油と化学調味料は、安っぽい味覚をあっという間に満足させることができる。

——と、バイト先のオーナー、広田さんがいたら嘆き出しそうな料理をつまみながら飲むビールは想像していたよりも悪くなかった。

同窓会の雰囲気も。四年ぶりくらいなのに、通学路ですれ違ったような気軽さで、元気か？　とか、最近どう？　とか声をかけられ、そのまま他愛のない世間話が始まる。こいつら、こんなにフレンドリーなヤツらだったっけ？　いや、昔からこんな感じだったのかもしれない。斜に構えて周りのヤツらをバカにしていたのは、僕の方だ。

懐かしい思い出話から、仕事の話になったり、就職の話になったりで、それぞれの月日があったことに気付く。

「成瀬、就職は？」

高校を卒業後、島内の造船会社に就職したヤツに訊かれた。資格試験にいくつか受かり、現場の班長をまかされるほどになっているらしい。

「今のバイト先にそのまま。『シャルティエ・広田』っていうフレンチレストラン」

――に正採用、というわけじゃない。商社と銀行、いくつか受ければ、どこか引っかかるだろうと思っていたら、全部落とされた。それも、ほとんど最終面接で。

きみは学力もあるし、受け答えも丁寧だけど、覇気《はき》がない。うちで本当に働きたいという熱意がこちらまで伝わってこないんだよ。

面接中にこんなことを言われるヤツなんているのだろうか、などと、落ち込むわけでもなく、ぼんやり思っていたくらいだから、本当に覇気がなかったのだろう。広田さんに、うちに来ないか、と誘われていた、という余裕もあったのかもしれない。全部ダメだったことを報告すると、来年もいればいいさ、と言ってくれたけれど、正採用、という言葉は未だに出ていない。

おまえ、大学出てレストランかよ。

痛い言葉が飛んできても、そうだよな、と苦笑いを浮かべることしかできない。

「そこって、すごく有名なところなんだよ」

隣りのヤツの向こうから声がした。杉下だ。少し派手めな化粧をして、髪の毛の先をくるくると巻いて、僕でも知っているブランド物のバッグを持って、今日集まっている女の子の中で一番オシャレな恰好をしていることに、ホッとする。

近くに座っていたのは知っていたけれど、目を合わせることができずにいたのに。周りのヤツらに、雑誌に載っていただの、シェフは何かの世界大会で入賞したって書いてあっただの、アピールしてくれている。

へえ、すごいじゃん。周囲の反応が変わった。

彼女には、妥協してそこに就職することになった、と知られたくない。それだけを思いながら仕事のことを話しているうちに、気が付けば、隣りのヤツは席を移り、二人で話し込んでいるような状態になっていた。といっても、彼女からの質問に必死で答えるだけ。

僕からも彼女に訊きたいことは、ある。一つだけでもいい。

僕のことを、許してくれてる？　そんなこと、訊けるわけがない。

「ところで、また、これを見てもらっていい？」

僕の仕事、というよりは、『シャルティエ・広田』について訊きたいことはもうなくなったのか、彼女はバッグから小さな紙切れを取り出した。

席替えを身長順でやってくれれば、窓際の一番後ろが定位置になっていたはずだ。そうすれば、後ろのヤツがちゃんとノートを取れているか、なんて気にせずにすむ。でも、毎回くじびきだった。それでも、見えないから替わって、と言われながら、気が付くと一番後ろの席に座っていた。後ろに誰かがいたのは二ヶ月だけ。こちらから替わろうか、と言ったにもかかわらず、彼女はやんわりと断った。

「ここがいいの」そう言って。

高三の二学期に入ったばかり、あれは数学の時間だった。

「杉下、おまえそこで見えてるのか。問三の答え、言ってみろ」

練習問題をしていると、いきなり彼女が当てられた、のに、彼女は当てられたことにも気付いていなかった。じっと下を向いたまま、何かを熱心に睨《にら》み付けていて、僕がそれが新聞の切り抜きだと気付いたとき、ようやくクラス中から注目されていることに気付いたようだった。

「そんなに熱心にやっていたんなら、とっくにできてるはずだな」

数学教師は意地悪げにそう言った。難関私立大学の過去問題。僻地《へきち》、それも、たいしたことのない学校のさらに分校、に配属になったことにプライドを傷つけられたのか、問題集から自分の出身大学の過去問題を拾っては、それをみんなに解かせようとし、「まあ、おまえらには無理か」と言ってバカにしながら自分で解いてみせる。

だから、できていなさそうなヤツを当てる。彼女のノートは真っ白。できていないどころか、どの問題を当てられたのかすらわかっていないようだった。そんな彼女を数学教師が鼻で笑ったのが気に入らなくて、僕は小さな声で答えを教えた。

「えっと、――です」

「正解だ。でも、当てずっぽうということもあるからな、前に出て黒板に式も書いてみろ」

こんな展開はそれまでなかった。僕のノートをこっそり渡そうか。でも、その前に杉下はちょこちょこと前に出て行った。チョークを握り、困ったような顔で黒板をしばらく睨み付け、そして、何かにとりつかれたかのように書き始めた。

「合ってますか?」

心配そうに訊ねる彼女に、数学教師が呆然《ぼうぜん》としたまま、ああ、とか、まあ、とか答えると、彼女はにっこり笑って席に戻ってきた。

休憩時間に、「ありがとね」と言われても何のことだかわからなかった。答えを教えたことか? そう思い、「杉下、自分でできてたじゃん」と言うと、彼女はにこにこと笑いながら、「ううん、ノート見せてもらったから」と言った。

前に出て行く途中、一瞬僕のノートを見たらしい。十行以上にわたる計算式を一瞬で暗記したのか？　と驚くと、わたしの頭の中にはカメラがあるの、と言われた。

同じクラスになって五ヶ月経つのに、彼女と話したのは初めてで、僕はそのまま、授業中彼女が睨み付けていた新聞の切り抜きについて訊いてみた。

「将棋、好きなの？」

詰め将棋。持ち駒が○○で、あと三手で詰めるにはどうすればいいか、と問題形式になっているものだった。去年、杉下のクラスに来ていた国語の臨時講師がやたらと将棋好きで、生徒に広めようとしていたことは知っていたけれど、授業中にそんなものを睨み付けているヤツを見たのは初めてだった。それも、女の子で。

「ううん、ぜんぜん。将来的にこういうのができたら、得するかな、って思って、がんばって憶えてるの」

「将棋で得？　例えば？」

「……豪華客船で将棋好きなアラブの大富豪と偶然出会って、わたしとの対決に勝ったら油田をあげよう、とか」

「ないと思うし、それならチェスの方がよさそうだけど、そっか、そういうこと考えながらやれば、将棋も楽しいのか」

「成瀬くん、将棋できるの？」

「ときどき、じいちゃんの相手をさせられるから、駒の動かし方くらいは知ってるけど、じいちゃん弱いし、じっくり考えながらやったことはないな。それ、見てもいい？」

彼女から切り抜きを借りて、次の日本史の授業のあいだじゅう考えていたら、ふと、駒が自然に動き出し、あっけなく答えが見えた。あとは、早くチャイムが鳴ってほしい、それだけだった。

答えを彼女に教えると、すごいすごい、と繰り返され、それ以来、彼女はいろいろな新聞や雑誌から棋譜《きふ》を切り抜いては、僕のところに持ってきた。彼女は解くことには興味がない、というか苦手らしく、解けた棋譜を暗記しておくのだ、と言っていた。

そのうち僕は、問題が解けると、休憩時間が待ちきれずノートの切れっ端に答えを書いては、そっと後ろ手に彼女に差し出すようになった。すると、彼女がシャープペンシルを三回鳴らす。「す・ご・い」の合図だから。

それが、ある日、四回になった。

「一回増えてたけど、何？」と訊くと、「自分で考えて」と教えてくれなかった。うちのパートの仲居さんが鼻歌まじりによく「ア・イ・シ・テ・ルのサイン～」と歌っていたけれど、あれは五回。

結局わからないまま、あの事件が起こり、最後に五回鳴らされて、僕たちはお互い口をきかなくなった。もちろん、アイシテル、じゃない。

四回は今でもわからないままだけど、最後の五回は、死んじまえ、だったんじゃないかと今でも思っている。


彼女に差し出されたのは、すでに勝負がついたあとの棋譜。

詰め将棋のように明確な問いと答えがあるわけでなく、「こうやって負けてしまわないためには、どうすればよかったと思う？」と訊かれると、黙り込んでしまうしかない。でも、それで、一次会が終わったあとも二人でいる理由ができたのだから、とんでもなくラッキーだ。

あの頃と違って、余裕があるとは言えないまでも、それなりに財布の中には一万円札が入るようになったから、どこか店に入って飲み直しながら、棋譜を解く、という手もあったけれど、誰の目も気にせずにしゃべれる場所、というのは、やはり、あの頃と同じだった。

島の中央に位置する青景山、標高三百三十メートル。島で一番高い山の頂上に続く遊歩道を五分ほど歩き、少し脇道にそれたところに、ひっそりと小さな平屋が建っている。彼女の家だ。幽霊屋敷、と小学生のガキたちは呼んでいた。

そこに入ったことはない。遊歩道入り口にある自販機が設置された四阿《あずまや》で、僕たちはドキドキするような会話をするわけでもなく、ひたすら棋譜を睨み付けていた。

今夜もそこに向かう。

だいたい、四年ぶりくらいに再会した女の子を誘えるような洒落た店なんてこの島にはない。一次会のファミリー居酒屋を除けば、スナックなんとかという店ばかりだ。だから、いったんお開きになったあと、二次会も同じ場所で行われることになった。

四年くらいじゃ何も変わらない。

寒いけれど、歯がガチガチ鳴るほどではない。そして、女の子と肩を寄せ合わなければ凍死してしまうほどでもない。温かい缶コーヒーを買って、適度な間隔をあけて座る。ただ、外灯はあるものの、棋譜を見るには少し暗く、わかったら連絡する、と住所と携帯番号とメールアドレスを交換しあい、お互いどうでもいいような世間話をした。

学校のこと、バイトのこと、就職のこと。

彼女は清掃会社でバイトをしていると言った。完成後のマンションの掃除や、深夜のオフィスビルの掃除。ホントはビルの窓掃除がしたかったけど、体重が五十キロないとゴンドラに乗せてもらえないのよ、と笑った。

まったくイヤそうじゃないけれど、できれば、そんな男がするような重労働じゃなく、雑貨屋や喫茶店でアルバイトをしていてほしかった。バイト代でバッグを買おうかな、ってくらいの。彼女のバイトはどう考えても、生活のためじゃないか。

そんなことをさせてしまっているのは、僕のせい。唯一の救いは、彼女がテレビのコマーシャルで見たこともある住宅メーカーに就職が決まっている、ということだ。

「成瀬くんは、どんな感じ？」

彼女に訊かれる。あの頃みたいに。だけど、彼女が好意的に接してくれているからとはいえ、あの頃のように熱く理想を語ることなんてできない。いや、そんなの語ったことあったか？

むしろ、嘘でもいいから、早く働きたいとかなんとか、熱く語っておけばよかったのだ。


十月末だった。

「席替え、したくないなあ」

少し肌寒くなってきたなと感じる四阿で、缶コーヒー片手に棋譜を睨み付けている僕に、いきなり彼女はそんなことを言った。これは、ひょっとすると、僕と離れたくないってことか、恋の告白か、などとドキドキした。でも、そんな期待はすぐに打ち砕かれる。

「隠れるのにちょうどいいんだよね。成瀬くんの後ろだと」

ああ、そういうことか。

「数学の時間に英単語暗記していてもバレないし？」

「あ、バレてた？　だって、豪華客船でアラブの石油王と出会うには英語くらいできなきゃダメでしょ」

「それさ、前も言ってたけど、本気なの？」

「本気、本気。夢っていうか、むしろ野望。これくらいの野望を持ってなきゃ、つまんない現実に飲み込まれちゃうでしょ。成瀬くんにはないの？　野望」

「ない。ただ、この島から出て、人混みに紛れたい」

「そんなのあとちょっとじゃん。進学するんでしょ？」

当然、そうしたかったし、一学期の進路調査票にはそう書いて提出したけれど、事情がかわっていた。年内に、料亭を売り渡すことになったのだ。

経営不振は何年も前から続いていたし、売り渡しの話も昨日今日出たものじゃなかった。ただ、最初は本州の観光ホテルのオーナーが買い取ってくれることになり、その分館として料亭は続けられる、と聞いていたのに、いつ何がどうなってしまったのか、半年以内に取り壊されて、パチンコ屋になる、なんてことになっていた。

うちの親は、そのパチンコ屋で雇ってもらうことになる——かどうかも定かではなかった。

進学なんて、国立に行く、とかそういうレベルじゃ解決できないくらい、難しいことになっていた。

「多分、就職かな」

「そっか。じゃあ、何になるの？」

「何だろ。雇ってくれるところがあれば、そこでいいよ」

投げやりな気分の延長で眺めた棋譜の駒たちは、睨み付けても、すかしてみても、まったく動き出してくれなかった。

——その一週間後だ。


昼間だと、この山の麓《ふもと》から海岸までの小さな町を一望することができる。今見えるのは、ポツポツと灯《とも》る明かりだけ。誰も来ない、幽霊が出るからってデートスポットにもならないこの場所が、一番落ち着くのだと、あの頃、彼女は言っていた。

ほとんど毎晩、ここで勉強したり、ぼんやりしたりしているのだ、と。

あの日もきっと、そうしていたんだろう。そこで、彼女は海岸付近の建物から火が上がっていることに気が付いた。火事かもしれない、とそのまま坂道を下り、燃えている建物の前まで行くと、呆然と見上げている僕がいた。

僕の家が料亭を明け渡し、町の外れのアパートに引っ越した日だった。

杉下はどう思ったんだろう。駆けつけてきた消防隊員や警察に事情を聞かれることになったとき、僕より先に彼女が口を開いた。

二人で一緒にいたんです。遊歩道入り口の四阿に成瀬くんに来てもらって、奨学金の申請書を渡したんです。学校で渡せばよかったんだけど、締め切りが近いし、あんまりオープンにするようなことじゃないと思ったから、九時頃待ち合わせをして、そこで申請書を書いてました。

そうしたら、火が上がっているのが見えて、二人で見に来たんです。

彼女がどうしてそんな嘘をついているのか、そのときの僕にはまったくわからなかった。

いや僕は、と言いかけて口を閉じたのは、遠巻きに火事を眺めていた野次馬、といっても、全員顔見知りの近所の人たちだったけれど、その人たちが「放火じゃないか」とささやきあっているのが聞こえたからだ。

それも、僕の方をちらちらと見ながら。

確かに僕が一番の容疑者だ。たまたま通りかかったら、火が上がっていて、呆然と見てました。なんて言っても信じてもらえそうにない。

コンビニもない町で、こんな時間にどうして出歩いていたんだ、と訊かれて、どうしても彼女に会いたかったから、と答えたところで信じてもらえるだろうか。

大切なものを失った虚《むな》しさを埋めてもらえるような関係じゃないけど、それでも彼女に会いたかったんです。なんて、言えるわけがない。

結局僕は、その通りです、と答え、その日の晩、本当に杉下から奨学金の申請書を受け取り、内容もよく読まないまま、朝一で担任に提出した。

「そうそう、これ。おまえに勧めてみようかと思ってたんだ」

担任は呑気な様子でそう言ったけれど、いっそ、そうしてくれていればどんなによかったかと思う。放火と断定されたものの、犯人は結局見つからず、僕のところに奨学金の審査に受かったと通知が来たのが、翌月、十一月末だった。

親も「それなら、がんばれ」と言ってくれた。

杉下に報告しようと、そのときになって詳細を読んで初めて知った。

入学金と四年間の授業料を無利息で貸してくれるという、かなり優遇されたこの制度は、県内の各学校から一人ずつしか選ばれない、ということを。

役場の窓口でしかもらえない申請書を杉下が持っていたのは、自分が申し込むためじゃなかったのか。

彼女の方が、僕なんかより、何倍も窮屈《きゅうくつ》な思いをしているはずなのに。

父親が愛人をつくって家に呼び入れ、追い出された母親と杉下と弟は三人で山の麓の小さな家で身を潜《ひそ》めるように住んでいる。――ということは、島の誰もが知っていた。

休憩時間もほとんど女友だちとつるむことなく、一人で棋譜を眺め、時折、窓の外の遠いところに視線をやる。そんな姿をいつも、気が付けば追っていたはずなのに。

狭い島から出るために、進路のことも自分でしっかり考えて、奨学金のこともいろいろ調べて、役場に申請書をもらいに行ったんじゃなかったのか。

――と、どうしてあの晩気付かなかったのだろう。大金を借りる申請書なのに、どうしてきちんと読まなかったのだろう。

そして、どうして担任はそんなプライベートなことをホームルームで言うのだろう。

成瀬が、県内で数人しかもらえない奨学金の審査に受かったぞ、なんて、こいつの家は貧乏です、と言ってるようなもんじゃないか。そのときはすでに席替えが行われていて、杉下は斜め前の方の席にいたから、どんな顔をしていたのかはわからなかったけど、シャーペンを五回ノックするのは見えた。

さようなら、ろくでなし、死んじまえ……。

いや、単に芯《しん》がつまっていただけかもしれない。けれど、あの火事以来、杉下が詰め将棋の切り抜きを持ってくることもなくなっていた。

自分から話しかけるのは気が引けたし、気が付けば、すれ違っても目も合わさないようになっていた。

それでも少しホッとすることができたのは、島を出る前に、杉下も東京の大学に進学が決まった、と又聞きしたからだった。


島を出て、進学できたのは杉下のおかげ。お礼は言えないままだったけれど、せめて、いつか再会したときに胸を張って近況報告できるくらいにはがんばろう……と思っていたのは、いつくらいまでだっただろう。

ろくに学校にも行かず、競馬にパチンコ。すった金を穴埋めするためのバイト。就職も決まらず、四月からは、フリーター？　なのに、彼女の前では、自分もけっこうがんばってるんだ、とアピールするかのように、『シャルティエ・広田』のことはさんざん話したにもかかわらず、出張サービス先でのちょっといい話なんかをしてしまう。

「――そこの奥さん、事故で足を悪くしてから、ほとんどしゃべらなくなってたらしいんだけど、料理を食べてるうちに、そういえばあの日は雪が降ってたわね、とか、あの帰り道に初めて手をつないだのよね、とか懐かしそうに話し出して、そうしたらダンナの方が泣き出して、なんか、こっちまでもらい泣きしそうになっちゃったよ」

嘘ではない。昔の記憶をたぐり寄せられるような料理ってやっぱりいいよな、と専門学校に行き直そうかとその晩は真剣に考えたりもした。なのに、いやらしく感じるのは、そういうのをネタに使って自分のふがいなさをフォローしようとしているのが、わざとらしいくらいににじみ出ていそうだからだ。

杉下が何かを考えるような顔をしながら、まじめに聞いてくれてるのが、さらに心苦しい。あのときのお礼に、いや、そういう昔の清算的なことじゃなく、もっとこう、先のことを考えながら、彼女を『シャルティエ・広田』に招待できたら……と思いながら、財布から店の名刺を取り出したけれど。

「よかったらどうぞ」

こんな言い方しかできないなんて。自費で来い、って言ってるように思われるじゃないか。それなのに。

「わたしが注文したら、成瀬くんが届けてくれるのかな」

さっきの一次会で、本物のビールって久しぶり、なんて貧乏発言をしていたのからは想像できないような答えが返ってきた。名刺を仕舞うついでに手帳を取り出して、何やら、日付の確認までし始めた。

もちろん、喜んで。――っていうか、一人分？　彼氏におねだりしてみようかな、とかそういう計画？　それを確認できない自分が、やはりふがいない。


「野バラ荘」一〇二。あの晩交換した住所にはそう書いてあった。

バイトの関係で年明け三日には東京に戻った。で、その翌々日。

同窓会以来、考えていたのは将棋のことばかり。いや、杉下のことばかり。将棋盤の上で実際に駒を動かしてみたり、じいちゃんと対局しながら、杉下に渡された棋譜と同じかたちになるように攻めてみたり。すると、じいちゃんの思いがけない一言で、解決策が見えてしまった。

「おまえ、教育テレビの将棋教室見てるのか？」

最終的に負けてしまうはずの駒の配置は、半年前にその番組でやっていた、なんとか名人の振飛車《ふりびしや》破り戦法、というかたちになっていたらしい。ビデオに録画して一日中繰り返して見ているにしても、半年前のものを憶えているじいちゃんもじいちゃんだけど、今回ばかりは大手柄だった。

多分——杉下は誘導されたのだ。対局相手は、杉下がなんとか戦法を暗記しているのを知っていて、序盤から杉下がそのかたちに持っていくように誘導し、捨て駒に見せかけた歩《ふ》や桂馬《けいま》で、気付かれないように詰めていったのだろう。

そうなれば、早速杉下に連絡で、ドキドキしながら電話をかけると、すでに東京に戻っていると言われ、説明するのに時間がかかりそうなんだけど、と言うと、じゃあ今度うちに来ない？　と誘われた。

「野バラ荘」。僕のアパートは「タチバナアパート」。名前的には僕のところよりオシャレっぽい（？）アパートに住んでいる、というだけでどこかホッとする。駅から歩いているあいだも、高層ビルが立ち並び、ここからあと五分だと、かなりいいところに住んでいるんじゃないか、なんて思っていたのだが……。大通りから見逃してしまいそうな細い路地に入り、二回左折すると、映画のセット？　と首をひねりたくなってしまうようなボロボロの二階建ての木造アパートが建っていた。

もちろん、島にあれば、何の違和感もない建物なのだろうけど。

外階段の手すりに、「野バラ荘」と書かれた木製の古びた看板が掛けられている。

一階の二号室。蹴飛ばせば開いてしまうんじゃないかと思うようなドアの横にある小さなボタンを押すと、彼女が出てきた。すっぴんで、素朴なワンピースを着て。

畳敷きの六畳間。ノートパソコンがなければ、昭和にタイムスリップしたような錯覚に陥るような部屋。でも、そういう素朴なところが、島にいた頃の彼女の姿と重なって、このあいだ会ったときよりも、彼女を懐かしく思ってしまう。

ただ、こんなに質素な生活をしているのは、やはり僕のせいかもしれない。

いや、ドアから死角になっていて気付かなかったけれど、一つだけとんでもなく浮いている家具がある。

ドレッサー、っていうのだろうか。木製のフレームに細かい彫刻が施《ほどこ》された重厚なつくり。ヨーロッパの城にでもあれば、何の違和感もないのだけれど。それよりも、そんな高価そうなものの上に、本や雑誌を無造作に積み重ねていることに違和感を覚えるのか。

「よかったら、ここに座って」

こたつ。多分、食事も勉強も読書も全部ここなんだろうな。真ん中に折りたたみ式の将棋盤と、駒の入ったプラスティックケースが置いてある。目の前に、コーヒーの入ったマグカップが置かれた。ミルクも砂糖もすでに入っているようだ。

「なんか、成瀬くん、初めてここに来た、って感じがしない。同窓会のときも、久しぶりって感じじゃなかったし。違和感ないよね」

彼女が意味深な言い方をする。いや、僕がおかしな受け取り方をしているだけなのか。彼女の部屋に二人きりでいることに、今さらながらドキドキして、それを悟られないようにコーヒーを一口飲むと、将棋盤を開いた。

駒を並べ、それこそテレビの将棋教室みたいに、必要以上に丁寧に説明してしまう。相手に誘導されていた、というのは、なんとなく彼女をバカにしているように受け取られそうなので、杉下が振飛車破り戦法のかたちに持っていくことに夢中になって、そこを読まれて裏をつかれたんじゃないかな、と言ってみた。

彼女は「へえ、そうなんだ」と熱心に盤上を見ている。

「もともと、将棋と詰め将棋は違うから、詰め将棋で憶えた戦法をそのままのかたちで再現しようとすると、隙ができるんだ。そうならないように遅くても三手前あたりで、関係なさそうな駒を押さえておけばいいんだけど、お互いの手の内がわかりきったうえでの騙しあい、ってことになるから、さらに裏をかかれるかもしれない。——でも、とりあえず」

盤上の形勢を逆転させる。

彼女はしばらくそれを眺め、「すごい」と笑顔で言ってくれた。シャープペンシルはなかったけれど、耳の奥で三回鳴らす音が聞こえたような気がする。この勢いで訊いてみたい。

「あのさ、シャーペン、四回バージョン、って結局なんだったの？」

「あのとき、一番思ってたこと。でも、成瀬くんに気付いてもらいたかったこと」

僕に気付いてもらいたい、四文字の言葉。がんばれ、じゃないよな。アイシテル、は五文字。いや、高校生が告白するとき、愛してる、なんて言わない。もっと、単純に……。

「杉下、あれ、どうなった？」

がちゃりとドアが開いて、男の声がした。そのまま部屋に上がってくる。

ものすごく、きれい？　な男。色白で線が細くて、鼻筋が通ってて、切れ長の目が涼しげで、っていうか、こいつ何者？

「おかえり、西崎さん。ごはん食べてく？　もうすぐできるんだけど」

狭いキッチンスペースの一台しかないガスコンロの上で、両手鍋が弱火にかけられているのは、来たときから気になっていた。僕のために？　なんて。

「肉じゃが？　――気分悪い。俺の分は野原《のはら》のじいさんにやってくれ。帰る」

そう言って、いきなりやってきた男は帰っていった。僕がいたことを気にとめてもいない様子だった。何なんだ、あいつは。

「大家さんの分は入ってるのに。——成瀬くんは食べるよね」

「もちろん」

「じゃあ、やっぱりいっぱい作って正解。タッパーに入れるから持って帰ってね」

ここで食べるのは？　と思ったけれど、ふと、自分がそういう立場ではないことを思い出した。僕はまだ、彼女に謝っていない。だから、許してもらっていない。そもそも、手みやげも持たずにやってきて、何をえらそうに講釈なんかしているんだ。

おまけに、ヤキモチまでやかなかったか？

「えっと、彼は？」

「隣りの部屋の西崎さん。王子様みたいでしょ。大学生、なのかな？　留年してるんだか、卒業したんだか、よくわかんないんだけど、純文作家になりたいんだって」

「ああ、そんな感じ。似合いそう」

「でしょ。ついでに、結核とかサナトリウムって言葉も似合いそうでしょ。あれで才能あったら言うことないのにね」

「ないの？」

「いくつか自信作ってのを見せてもらったことがあるんだけど、なんかよくわかんない話ばっかり。飼ってる小鳥が、自分の意志で焼き鳥になるように、数日間えさをあげずにいて、熱したオーブンの中にえさを入れて、その中に誘導する話とか。……あと、海で自殺した恋人が貝殻に生まれ変わったって信じてる男の人の話。貝殻を耳に当てて恋人の声を聞いていたりするあたりは、ロマンティックな感じもするんだけど、ある日、声が聞こえなくなって、男は貝殻砕いて飲んじゃうの。そうしたら、その晩、彼女が夢の中に出てきて。それから、毎晩、男は砂浜に出かけては彼女の生まれ変わりの貝殻を捜して、それを砕いて飲んで、そのうち、からだがかたくなって気が付いたら自分が大きな貝殻になってる、って話。わけわかんないでしょ」

「あ、でも、文学っぽいといえば、文学っぽいかも」

「でも、貝殻を石で砕いて飲むんだよ。にわとりじゃあるまいし、ぜったいそんなのムリだって。……なんて言ってたら怒られるか。このアパート、声筒抜けだし」

「つきあってる、とか」

「まさか。写真飾っておくにはいいかもしれないけど、一緒にいるとけっこう大変。それに、ここのアパートの人はみんな仲いいの。三年前、すごい台風が来て、床上浸水したときから、運命共同体って感じで。みんなで屋根の修理とかしたことあるし、びっくりするほどボロボロでしょ。でも、あの島にいるより、何倍もマシ。そういう感覚をわかりあえるって、多分、わたしにとっては成瀬くんだけだと思うから、会えて嬉しかったな」

嬉しかった？　僕のせいで、こんなところに住んでいるのに？　屋根の修理だなんて……。

「ごめん、杉下。ホントにゴメン。俺をかばったせいで、奨学金もらえなくなって、ホントにごめん」

こたつから出て、畳の上に手をついた。下げられるだけ頭を下げても、許してもらえるとは思わない。洒落たワンルームマンションに住むには足りないのかもしれないけれど、それでも、奨学金があれば、もう少しマシなところに住めていたはずだ。僕がゆるゆると過ごしていたぶん、杉下がゆるゆると過ごせていたはずだ。

「ちょっと、待って。ずっと、そんなふうに思ってたの？　わたし、奨学金のことなんて、全然気にしてないのに」

頭を上げた。なんだかとても困った顔をしている。

「だって、ほら、うちってあんな状態だけど、父親いるじゃん。海岸通りのでっかい家に愛人と住んでる最低のおっさんだけど、養育費なんかは、ちゃんと払ってくれてるわけで……。だから、成瀬くんよかったね、って思って、五回カチカチやったのに」

「あの五回は、よかったね？」

「そう。他に何かある?」

ありすぎる。それでも、ホッとした。泣けてきそうなくらいに。よかったね、よかったね、よかったね——。

「それより、『シャルティエ・広田』の出張サービスなんだけど、例えば今日電話して、今月中の予約ってとれたりする?」

「あー、それは無理。早くて四月かな」

「そんなに待たなきゃいけないの? できるだけ早めでなんとかならないかな。奨学金ありがとう、成瀬特典とかないの? ——ああ、今のなし。恩着せがましいから」

報われた気分になっていた分、ぐさっときた。ど真ん中。しまった、って顔をしているから、ホントに軽いノリで言っただけなんだろうけど。ただ、それで杉下に恩を返せるなら……。怒っていないのと、恩を受けたのは、また別物だ。

「そうか、俺が入ればいいんだ」

出張サービスの補助はできても、一人でこなせるスタッフはあまりいない。だから、シフトの関係で、出張サービスができない日もある。その日のどれかに僕が入れば、今月中でも注文を受けることができる。と、杉下に言ってみた。

ただし、僕が一人で行くなら、四人まで。

ホント？　と彼女は顔をほころばせ、早速、いつならいけるか、やっぱり土日は無理かな、などと言い出した。土曜日は一日だけあけてある。

一月二十二日、僕の誕生日。今日、もしも、将棋のお礼に、なんて流れになりそうだったら、思い切って誘ってみようと思っていたけれど。

「二十二日の土曜日なら、大丈夫かな？」

これでいいのだ。怒ってません、じゃあ、誕生日に食事でも、っていうのは調子に乗りすぎだ。杉下は手帳を開き、二十二日に丸印を入れた。そのまま、別の日を指でなぞる。

「じゃあ、パーティーは来週かな。成瀬くん、いつがあいてる？」

それはてっきり、僕の誕生日パーティーのことだと思っていた。

誕生日の一週間前——なんて今まで意識したことがあったか？

鉢植えの花なんて買うのは初めてだった。ただ、彼女とテーブルを囲む真ん中にこれがあると、とても幸せな気分になれるんじゃないか、そう思って買ってきたのに、そこには電気鍋が置かれていた。

「今日は、お鍋にしたの」

そう言いながら鉢植えをドレッサーの上に飾ってくれたのは嬉しかったし、寒い夜に彼女と鍋をつつくのは楽しそうだけど、なんで、王子様までここにいるのかだけは納得できない。

「このあいだは、挨拶もなく失礼。西崎です」

グラス片手にこたつに寝ころんだまま言うな、とむかつく。

「ごめんね。夕方までバイトだったから、まだ支度できてなくて。冷蔵庫に偽物ビールとワインが入ってるから、先に飲んでて」

狭い流しの前に立って、長ネギをざくざく切る彼女の後ろ姿を見ているのは、ある意味あこがれていた光景というか、かなり感動的なものだけど、腹は減っていた。昼間、出張サービスに出かけ、終わるとそのままここに来たからだ。

先にビールをもらって……、そうだ、ケーキ。冷蔵庫に入れておいた方がいいかも。あ、しまった。杉下にケーキがあることを、メールで伝えておけばよかった。まあ、だぶっていてもいいか。

冷蔵庫を開けて、偽物缶ビールを取り出しながら、めでたい妄想を鼻で笑ってしまう。ケーキどころか、食パンとマーガリンしか入っていない。紙袋に入れて持ってきていたケーキの箱を、そのまま中央の段に入れた。

友だちが少し早めの誕生日パーティーをしてくれることになったので、シフトチェンジしてもらっていいですか？　と広田さんに頼むと、じゃあ、ケーキもそのときの方がいいな、と今日作ってくれたのだ。

女の子が喜びそうなのにしておいたからな、がんばれよ、って。記念日を『シャルティエ・広田』で迎える顧客が多いことに納得できる。箱を開けたら、彼女はどんな顔をするだろう。

それより、彼女の手伝いをした方がいいかもしれない。電気鍋の横にはみそと木べらが置かれている。ビールは後回しにして、それを鍋肌に塗って、土手を作っておくことにした。

牡蠣《かき》の土手鍋。できれば、ガスコンロで土鍋の方がよかったな、と思う。

「へえ、杉下式って思ってたけど、きみもそれが当たり前なんだ。さすが同郷。ちょっといいね」

僕の手元を見ながら西崎が言った。西崎さんの出身は？　と訊くと、わりとこの近く、と言われた。こんなおんぼろアパートで一人暮らしをしているからてっきり地方出身だと思っていたけれど、ひょうひょうとした雰囲気は確かにわりとこの近くっぽい。

野菜を山盛りにしたボウルを持って、彼女が席についた。

「すごい、厚さが均等。さすが、料亭『さざなみ』。っていうか、相変わらず几帳面。性格出るよねこれ」

それを聞き、なぜか、西崎がにやついた。電気鍋のスイッチを入れる。牡蠣と野菜を入れて、あとはしばらく待つだけだ。

「成瀬くん、ワインを開けよう。せっかく俺のために来てくれたんだから、まずは乾杯しようじゃないか」

西崎が言った。俺のため？　何言ってるんだ？　よくわからないまま、彼女が冷蔵庫から冷えた白ワインを持ってきて、西崎に渡した。コルクを抜き、水玉模様のグラスに仰々しく注いでくれる。

「西崎様、第七十八回白樺《しらかば》文学賞、おめでとうございます」

彼女が音頭を取り、三人でグラスを合わせた。

文学賞？　パーティーって、これのため？　考えてみれば、彼女が僕の誕生日を知っているわけがない。僕でさえ、彼女の誕生日を知らないのだから。そうか、文学賞か。

王子様はすごいじゃないか。

「成瀬くんは本を読むかい？」

「ときどきしか読まないけど、白樺文学賞ってすごいですよね。あ、そうだ、確かこのあいだ芥川賞とった人も、この賞から出てきたんじゃなかったっけ」

「詳しいね。きみなら俺の文学を理解できそうだ。出会えた記念に、ぜひこれを受け取ってくれ」

西崎は上機嫌な様子でそう言うと、ドレッサーに手を伸ばして茶封筒を取り、僕に差し出した。受け取って、中を見ると、原稿が入っていた。タイトル「灼熱バード」って、どうすりゃいいんだ。

そんな僕の気持ちなんてお構いなしに、西崎は「こっちが先だったな」と言いながら、月刊誌《白樺》を開いて見せてくれる。

第七十八回白樺文学賞予選通過者――「貝殻」西崎真人。

タイトルからして、このあいだ彼女から聞いた話っぽいけれど、あんなのでよく受賞できたものだ。――と思っていたら、通過したのは一次だけで、二次通過者の上につけられる丸印は西崎の名前の上にはない。

それなのに、まるで受賞したかのような盛り上がり……。

鍋が煮え立ち、いい具合にみそが焦げ出し、とにかく食べ始めることにした。西崎はいないことにして、彼女と二人で食べていると思おう。

「成瀬くん、牡蠣できてるよ。こんなにちっちゃいの、見たことないよねえ」

彼女が僕の皿に牡蠣を入れてくれる。なんか、いい。すごく、いい。

「成瀬くん、きみは誰のために生きている」

いきなり西崎が口を挟んできた。

「誰って、自分のため、じゃないですか？」

「小さいねえ、きみは。からだはそんなにでかいのに。だが、俺もえらそうに言えるわけじゃない。半年前までは、俺も自分のために生きていた。というよりは、自分のための文学を追求していた。公募で落選するたびに、なぜ俺の世界が伝わらない、と顔も知らない下読みのヤツらを恨んだこともある。だが、それは当然だ。自分の才能を自分のために使うということは、所詮、自分のキャパシティを超えられないということだ。目の前に今にも崩れ落ちそうな吊り橋がある。それを渡れば何かあるかもしれない。だが、あえて危険をおかすほどのものがあるとも限らない。そうなれば、きみは橋を渡るかい？」

「いや、どうでしょうねえ」

「そうだろう。だが、橋の向こうに、杉下がいたらどうだ。それも、助けて、ときみを呼んでいたら」

渡る、かな？　っていうか、ないだろ、そんなシチュエーション。——と同意を求めるように彼女を見ると、真剣な顔で僕を見てる。

「呼ばれれば、渡る、と思う」

彼女がニコッと笑った。もしも二人きりなら、このまま手を握ってしまいたい……。

「そうだろう、そうだろう、成瀬くん」

西崎に手を取られた。気持ち悪い。

「俺にも、橋の向こうから俺を呼んでくれる人が現れた。この世の美しいものだけを集めて結晶化させたような人。美の女神だ」

大丈夫か、こいつ。どこかの劇団に所属していて、これは芝居の稽古《けいこ》なのだ、と言ってほしい。なのに、杉下は、わかるわかる、といった感じで頷《うなず》いている。

「確かに杉下も悪くはない。だが、崩れ落ちそうな吊り橋の両端に俺と杉下がいれば、どう見ても、杉下の方が渡れそうじゃないか？　だが、こいつは渡ってこない。何故か。俺の文学、つまり俺自身の目指すところとこいつの目指すところが違うからだ。しかし、彼女は違う。彼女は橋を渡れない。だが、俺を求めてくれている。俺は初めて誰かのために書いた。それがこの『貝殻』だ。渡った先には人々の評価が待っていた」

評価って、たかだか一次選考通過じゃないか。

「きみは、今、たかだか一次選考と思っているかもしれない」

心を読めるのか？

「だが、これは大いなる第一歩なのだ。彼女が一緒にいてくれる限り、俺はどこまでも高いところへ行ける……はずだったのに」

西崎はいきなり立ち上がり、窓辺に立つと、両手でカーテンを開いた。

高層ビル群の夜景。そうか、ここは東京だった。

「あの一番高いビル、いや、悪の大王が支配する塔だ」

西崎が指をさす。

「きみは、ラプンツェルの物語を知っているか？　俺の女神は、今、物語の姫のように、あの最上階から四階下の部屋に幽閉されている。俺は彼女を救い出したい。そこで、きみに協力してもらいたいんだ」

なんだ、そりゃ。

「西崎さん、もっとわかるように説明しなきゃ、成瀬くん困ってるよ」

彼女が話を引き継ぐ。どうやら僕は、一次選考通過祝いに招待されただけではなさそうだ。


一言で表すと、西崎は不倫をしているらしい。

塔のてっぺん付近に住んでいるのは、一流商社に勤務する野口貴弘氏とその妻、奈央子さん。商社といっても所詮サラリーマンが、仮住まいとしてあんなところに住んでいるなんてすごいな、と思ったら、どうやら野口氏の実家はかなりの資産家らしい。

その資産家の御曹司（？）夫人と西崎が不倫だなんて、西崎の妄想ではないかと思うけれど、もともと、野口夫妻は杉下の知り合いだというのだから、信じるしかない。

杉下と野口夫妻は、沖縄のダイビングツアーで将棋を通じて知り合った。アラブの富豪じゃないけれど、セレブな人と出会うのに、本当に将棋が役に立っていたことに驚いた。

杉下が不在時に彼女を訪ねてきた奈央子さんと出会った西崎は、女神に出会ったとか、わけのわからないことを言いながら、逢瀬《おうせ》を重ねるようになる。といっても片手で数えられるくらいの段階で、ダンナが何かおかしいことに気が付いた。

ダンナは悪の大王と化す。

杉下によると、大王はさわやかで快活な印象があるけれど、実はものすごく嫉妬深いのだそうだ。大王自身は、流産した妻のことを気遣って、と言っているらしいけど、それ以来、大王は奈央子さん、を監禁するようになった。

二十一世紀のこの時代に、お姫様が他の男と接点を持たないように、携帯電話もパソコンも家の電話までも、取りあげているらしい。おまけに部屋のドアの外側にチェーンを付け、大王が外に出ているあいだ、お姫様は外に一歩も出られないようにしているそうだ。

西崎が言うには、お姫様は大王から暴力も受けていたらしい。

それでも悪いのは不倫をしていた二人だ。西崎も、俺がお姫様をあきらめたらなんとかなるかもしれない、と自分に言い聞かせていたそうなのだけど、杉下が野口夫妻の話を友人としているのを壁越しに聞き、いてもたってもいられなくなり、杉下にお姫様との関係を打ち明けて助けを求めたらしい。

二人はどうにか、あの塔からお姫様を連れ出せないか、と考えた。だけど、セキュリティーは万全で、エントランスには受付嬢や警備員もいるという。杉下が言うには、受付で「奈央子さんを訪ねてきた」と言っても、大王の留守中は取り次いでもらえないことになっているそうだ。部屋まで行けるのは、大王がいるときだけ。しかし、それではお姫様を連れ出すことができない。

そんなとき、杉下は僕から『シャルティエ・広田』の出張サービスの話を聞いた。――これをうまく利用できないか、と西崎に提案し、僕が今日呼ばれたようだ。同窓会のときから、杉下がやたらとフレンドリーだったのは、このためだったのか。

野口氏から店に予約の電話が入ったのは、前回ここに来た三日後だった。二十二日にお願いしたい、と言われ、その日は別の注文が、と言いよどんでいると、杉下さんの紹介だ、と言われたのだ。四人分と言われ、どういう関係なのだろう、と思っていたけれど、こういうことだったのか。

何が、パーティーだ。

まあ、一次通過を祝いたいという気持ちは本当にあったようだ。一次通過により、西崎はお姫様の存在意義を再認識したらしいから。もう、本当にどうでもいい。

「ごめんね、成瀬くん。お願いします」

杉下に頭を下げられ、なげやりに頷いた。

西崎が「心から感謝する」と言って、なにやらタイムテーブルのようなものを僕に差し出してくる。当初の計画では、僕と一緒に『シャルティエ・広田』のスタッフのフリをして、僕が部屋で準備をしているあいだに、何か理由をつけて連れ出す、ということになっていたようだ。それが、お姫様から西崎に電話が入り、花屋のフリをして助けに来てほしい、と言われ、計画を変更することになった。

大王の家には防音設備のある書斎があるらしく、そこで将棋をしながら杉下が大王を足止めしている隙に、西崎が連れ出すことになったのだ。

僕の役割は、もしかすると、すでに事は終了しているかもしれないけれど、万が一ということで、西崎がお姫様を連れ出したあと、大王が追いかけてこないように足止めする、または、失敗した西崎に代わって、お姫様を連れ出す、ということらしい。

「え？　俺が連れ出すの？」

そこまでしてやる義理はないんじゃないか。が、西崎は「万が一だ」とえらそうに僕の肩に手をのせた。お遊びなのか、本気なのか、よくわからない。

こんなのに協力して、大丈夫なのだろうか。

タイムテーブルの上には「吊り橋を渡れ計画」と書いてある。まさに、B級コメディーじゃないか。確かに、パーティーは今回やっておかなければ、西崎がこの先文学で祝えるような機会はなさそうな気がする。それにしても……。

こんなことに手を貸さなければならないのだろうか。タイムテーブルもかなりいいかげんだ。


五時半、杉下、塔に入る。

六時、西崎、花屋のフリをして姫を連れ出す。

七時、『シャルティエ・広田』、到着。フォロー。


本気でやる気あるのか？

「食事は四人分って注文を受けてるんだけど、他にまだ協力者はいるの？」

「食事に来るのは安藤っていう、共通の知り合いなんだけど、安藤は何も知らないし、この計画には関係ないから。このあいだ、成瀬くん、一人で行くなら四人まで、って言ってたでしょ。最初は、西崎さんもお店の人のフリをさせてもらおう、ってことにしてたから、お客も三人よりは四人の方が、店の人が二人来ていても野口さんにあやしまれないかな、って思って誘ったの」

杉下が言った。それならいっそ、あのときに、相談してくれればよかったのに。多分、最初は、僕に計画を話すつもりはなかったんじゃないだろうか。西崎がスタッフになります必要もなくなったのだし。それでも、なんとなく、二人だけでは心配になってきて、害のなさそうな僕にも協力を仰ぐことにした。そんなところか。

大丈夫、彼には貸しがあるのよ。——とか、なんとか言いながら。

「それで、無事連れ出せたとして、その後どうするの？　このアパートにかくまったりするわけ？」

「ひとまずは、彼女をここに連れてきて、あとは彼女と二人で相談する。二人で見知らぬ町に逃げてもいい」

西崎が言った。なんだ、この現実味のなさは。生きていくって大変なんだぞ、って僕が言っても何の説得力もなさそうだけど。仮に、僕がお姫様なら、たとえ塔に閉じこめられていたとしても、助けに来た王子様がこいつなら、絶対についていかない。

むしろ、計画が成功したあと、王子とお姫様がどんなふうになるのかを見たいような気がしてきた。


杉下にもう一度頭を下げられ、僕が引き受けると、西崎は上機嫌で隣りの部屋に戻っていった。

「ごめんね。西崎さんはあれで、メチャクチャ本気だし、わたしも奈央子さんを助けてあげたいの。本当にごめんね」

そんなことを言われても、それすらも、僕を利用するための演技に思えてしまう。だからといって、強気に出られるわけでもない。

「謝らなくていいよ。なんか、楽しそうじゃん」

そう言うと、嬉しそうに笑ってくれた。

二人で片付けをして、さて、なんとなく僕の用事は終わったようだし、今日はもうこのまま帰るのか、お泊まりなんてことがあり得るのか、いや、むしろ、もう帰りたい、などと手持ちぶさたにこたつに入っていると、彼女がマグカップにコーヒーを二人分淹れて、持ってきてくれた。冷蔵庫にケーキが入っている、とは言えない。

彼女が僕の向かいに座る。お互い足を伸ばしているから、ひざのあたりに彼女のつま先が当たった。

「ごめんね、こたつしかなくて。お鍋消したら、急に寒くなっちゃったね」

そう言って彼女は両手を温めるようにマグカップを持ち、ふうふうと息を吹きかける。ここに二人でいる理由については、まだ少し腹が立ったりするものの、寒い冬の夜に、向かい合って一緒に温かいコーヒーを飲む人がいる、というのはそんなに悪い気分じゃない。

びゅうびゅうと吹き荒れる風に窓ガラスが震える。カーテンは西崎が開けたままだ。

あの島にいた頃には想像することもできなかった高層ビル群。しかも、東京タワーは、島で一番高い青景山よりも高いのだから。

最上階の部屋から地上を見下ろせば、どんな気分になるだろう。欲したものすべてを手に入れたような気分になれるのだろうか。だけど、あの部屋に住んでいる夫婦はあまり幸せではなさそうだ。

もともと、僕はどんなに高かろうと、マンションというものにあまり価値を感じていない。どんなに広くてきれいでも、所詮空間。きれいな夜景を見下ろしたいだけなら、展望デッキのある高層ビルに千円くらい払って上がればいい。

それよりも、狭くてもいいから地に根ざした場所が欲しい。『シャルティエ・広田』のような、『さざなみ』のような、大切な人と向かい合って、幸せな時間を共有できる場所。

そこにいてほしいと願ったことのある人は、ボロボロのアパートの一室だけど、手を伸ばせば届くところにいる。それって、ものすごく幸せなことなんじゃないか。

ふと見ると、彼女も高層ビル群を見上げていた。もしかすると、同じことを考えているかもしれない。

「――思ってないよね」

「え？」

「これで充分幸せ、なんて思ってないよね」

「杉下は、どうなの？」

「わたしは……全然まだ、満足していない。島にいるときは、ここから出れば人生が変わる、って思ってた。父親の愛人がどうとか、っていうのは関係なかったと思う。何にもない場所で、幸せになる努力もせずに、幸せって言い聞かせながら狭い世界の中で人生を終えるなんてまっぴら。それなのに、なんでみんな楽しそうに過ごせるんだろう、って不思議でたまらなかった。息苦しい思いをしてる人はいないの？　って仲間をずっと探してた。

やっと同じ思いの人を見つけたな、って思ったのが、成瀬くん」

「……俺?」

確かに、あの頃、同じようなことは考えていた。

「でも、成瀬くんがため込んでいた思いは、それ以上のものだったんだよね。『さざなみ』が燃えてるのをじっと見てる成瀬くんは、すっごい強そうで、でも、すっごい弱そうに見えた。ものすごい覚悟を決めてやっちゃったんだ、って思うと、なんだか、それに一緒に飲み込まれてしまいたい自分がいて、嘘をついたの。一緒にいました、って」

ちょっと、待て。杉下は僕が本当に放火したと思ってるのか? しかも、そういう僕を肯定している。

「奨学金の申請書は、最初から、成瀬くんに渡そうと思って、役場からもらってきてたの。わたしよりあの島が窮屈そうで、わたしより絶対成功しそうなのに、進学あきらめるなんてもったいないでしょ。でも、なんて言って渡していいのかわからなくて。結局、あんなかたちで渡すことになって、ごめんね。ずっと、気にしてたんだよね。――お互い島から出られてよかった、ってわたしは満足してた。でも、出てきたはいいけど、何? このアパートは。この暮らしは。島にいるときと何もかわらないじゃない。それでも、かろうじてまあいっか、って思えるのは学生だから。でも、チャンスがあれば、自分が持っていないものを手に入れている人に逆襲してみたいと思ってる。それをバネにして、自分が高いところに行くの」

彼女はもう一度、高層ビル群を見上げた。僕も見る。

「島から出て、人混みに紛れたい、って言ってたよね。でも、わたしは、成瀬くんは都会に出ても紛れ込めない人だと思ってた。それはそれでしんどいかもしれないけど、でもいつか、高いところまで行けちゃうんじゃないか、と思ってた。結局、コーヒー飲んでるのが幸せなんて心から思えるのは、あそこまで行ってから。そこまで行かずに言うのは、ただの言い訳。あの日の成瀬くんにもう一回会って、今度はずっと、一緒にいたい。西崎さんに協力するんじゃない。自分のためにやろうよ」

確かに、この部屋も、僕のアパートも、日常生活も、島にいた頃に思い描いていたような、東京でも都会でもない。もし、このまま島に帰って就職するにしても、また、昔の自分に逆戻りするだけだ。

島から出ればいいってもんじゃない。でも、それは島から出なければ気付かなかったことだ。僕を島から連れ出してくれた彼女が、もう一度、どこか遠くへ連れ出そうとしてくれている。しかも、今度は二人で。

不倫の逃避行の手伝いがその前夜祭なのだとしたら、それはかなり楽しいイベントなのではないだろうか。

一月二十二日――僕の二十二歳の誕生日。決行の日がやってきた。といっても、一日の大半はだらだらと過ごし、動き始めたのは、午後三時を過ぎてからだ。アパートを出る少し前に、杉下からメールが届いた。計画の念押しなんかじゃない。

誕生日おめでとう。杉下が冷蔵庫の中のケーキを見つけたのは、あの日の翌朝だ。広田さんが、HAPPY BIRTHDAY なんて書いてくれていたものだから、言ってくれればよかったのに、と申し訳なさそうに言われたけれど、気まずい雰囲気にはならなかった。なんとなく、お互い、この先がありそうな気がしていたからだと思う。

午後四時に店に入り、出張サービスの準備を始める。初めての家、というのは久しぶりだった。地図の確認と、駐車場の確認を念入りにしておかなければならない。「スカイローズガーデン」は、店からは車で二十分みておけば充分だろう。地図で見ると、杉下のアパートからはわりと近い。

あの晩、西崎や杉下は、漠然《ばくぜん》と高層ビル群を見ながら言っているのかと思っていたけれど、これから行くマンションを見据えていたのかもしれない。

悪の大王によって高い塔に幽閉されたかわいそうなお姫様を救出する、か。

料理の入った保温容器を店のワゴン車に載せ、六時半に店を出た。

大通りから一方通行の道に入るとすぐに目的のマンションが見えてきた。ぱっくりと口を開けたようなゲートが見えるけれど、そこは確か、住人用の地下駐車場のはずだ。来客用はエントランス前にある、とオーダーシートの駐車場という欄に書かれている。

一度、建物と駐車場がやけに離れたところにあるマンションに行ったことがあり、それ以来マンションは勘弁してほしいと思っていたけれど、ここは大丈夫そうだ。エントランスに一番近いスペースに車を入れ、折りたたみ式のワゴンを出して、ゆっくりと荷物を下ろし、時計を確認した。

六時四十八分。ベストタイムだ。自動ドアを抜けるとすぐに、ホテルのフロントのような受付カウンターがあった。注文を受けているとはいえ、直接部屋には行けないようになっている。

カウンター内の女の人に、オーダーシートを見せ、野口家につないでほしい、と告げた。

杉下はすでに到着しているはずだ。西崎はどうだろう。すでにお姫様の手を引いてここから出たあとだとすれば、こんなに静かじゃないはずだ。となると、少し気が重い。

部屋のドアの外側に付いているドアチェーンの写真を撮っておいてほしい、とも言われている。失敗して、万が一あとで警察にでも通報されて問いつめられたとき、これだけでも、監禁しているという証拠になるだろうから、と。

店のユニホームである白い上着の胸ポケットに入れてある、ケータイを取り出した。食事の前までには、必ず電源を切っておかなければならない。お客様の大切なひとときに、水を差すようなことになってはいけないから。

いっそ杉下から、「西崎失敗、普通に食事」なんてメールが来ていないか、と期待してみたものの、そんなものは届いていない。——と、メールや着信履歴の確認をしているあいだも、受付の人が持っている受話器からはコール音が流れ続け、彼女は一度受話器を置いた。二十回とか三十回とか回数を決めて、それで出なければ、一度置く決まりになっているのか。

「少し待ってからお取り次ぎいたしますね」

そんなことを言われても困る。誰も出ない、とはどういうことなのだろう。

西崎が作戦に成功してお姫様を連れ出し、大王と杉下はまだ書斎で将棋を指しているのか。それならいいけれど。もし、連れ出そうとしているところを大王に見つかって、大騒ぎになっていたら……。杉下は大丈夫なのか。

少し不安になった頃、わずかに聞こえていたコール音がとぎれた。「誰だ」と男の声がして、「キャンセルだ」と言ったのが聞こえた。大王の声か。いや、西崎っぽい感じだったかも。どちらにしても、食事どころじゃないんだろうけど、上はいったいどうなっているんだ?

もう一度つないでほしいと頼む。すると、今度はすぐにつながって、なぜか、受話器を差し出された。何だろう、と思いながら受け取る。

「成瀬くんでしょ、助けて!」

杉下の声だった。受話器をカウンターに置き、エレベーターに向かった。何が起こった、何が起こった。

部屋の前に到着し、インターフォンを押しながら、すでにドアノブに手をかけていた。鍵はかかっていない。が、数センチ開いたところで一度止まる。もどかしい思いで全部開けると、玄関には赤いバラの花がぐしゃぐしゃに散らばっていた。

何が起こったんだ。と、踏みつぶされた花束を見ていると、手前の部屋から杉下が出てきた。

「成瀬くん……。大変なことになっちゃった」

つぶやくように言うと、またもとの部屋に入っていった。状況がまったく把握できず、杉下のあとを追いかけると、奥に西崎が立っていて、その足元には、二人——。

うつぶせに倒れているのは、野口氏か？　その奥に仰向けに倒れているのは、奈央子さん？　死んでいるのか？　後頭部から血を流している野口氏の足元あたりに、血の付いたシルバーの燭台《しよくだい》が転がっている。

いったい何が起こったんだ。

「計画は失敗だ」西崎が力なく言った。

「ごめんね」と杉下が小さな声でつぶやく。

「いったい何が起こったの」

杉下を見ると、「よくわからない」と言った。奥の防音の書斎にずっといたから、と僕と西崎を案内し、交替で部屋の中に入り、まったく外の音が聞こえないことを確認し、そのあとは、西崎が自分がここに来てからのことを話した。

暴力ダンナがいきなりとびかかってきたとはいえ、結果的に人が二人死んだ。しかも一人は西崎が手にかけたという。警察に通報し、ありのままを話せばいいのか。

三人で計画して、奈央子さんを連れ出そうとしていました。そこで最悪の事態が起こった場合のことまでは考えていませんでした。——そんなことが通用するだろうか。計画という言葉は禁句だ。

「起こったことはありのままに、でも、三人で計画を立てたことは黙っておこう。ここで会ったことは偶然だ、と。俺は杉下とは同窓会以来会っていない。西崎さんとは初対面。杉下は西崎さんが奈央子さんと面識があることを知らなかった。食事会を提案して、招かれただけ。西崎さんは奈央子さんを連れ出す作戦を一人で考えた。――それで、いい?」

二人が頷く。それだけを徹底して、あとは事実を話そう。

もう一度確認してから、僕は警察に通報した。

その後、不思議なほど、それぞれの証言にかみ合わない点はなかったようだ。

通報した直後に、安藤というヤツが来たけれど、ほぼ同じタイミングで警察がやってきて、結局、安藤とは一度も話さないままだった。安藤が計画にかんでいなかったことは幸いだった。

西崎は罪に見合った刑を受けることになり、杉下とは、事件後、二人で会うことはなかった。

そうなって初めて、彼女が火事のあと、僕を避けるようになった理由がわかったような気がした。奨学金のことを根に持っているんだ、と四年以上も思っていた自分がなさけない。彼女はそんなみみっちい人間じゃない。

僕を守るために、僕をかばっているんじゃないか、と周囲から疑われないために避けていたんだ。自分の大切な場所が燃えているのを見ている僕が、杉下の目にどんなふうに映ったのかはわからない。けれど、あの頃の僕は、きっと、彼女にほんの少し好かれていたんだと思う。

四回カチカチは、だいすき、だったと思いたい。それで充分だ。

十年後

十年前の事件で、確かに僕は嘘をついた。西崎と杉下と示し合わせた以外にも。嘘は二つ。一つは、僕がドアの前に行ったとき、ドアの外側のチェーンがかかっていたということ。

もう一つは、嘘というよりは、黙っていたこと。

これはただの憶測にすぎないけれど。倒れていた野口氏の横には、確かに血の付いた燭台が落ちていた。西崎はそれで野口氏の後頭部を殴ったと証言したし、警察もそれを疑わなかった。でも……。

人を一人殺した西崎の量刑は、想像していたよりも軽かった。それは、あいつ、あの事件の日、最後に部屋を訪れた安藤が、西崎のために奔走したからかもしれない。

西崎のからだには、幼少期、虐待を受けた痕が無数に残っていたらしい。特にひどかったのが、火傷《やけど》の痕。それは、どこか西崎の書いた「灼熱バード」に通じる気配がして、僕は西崎にもらった原稿を開いた。

小説の主人公を作者と完全に同一視するような読み方ほど、くだらない解釈の仕方はない。すべて西崎のことだと思ってはいけない。ただ、西崎の部分もある。そのほんのわずかな部分から推測すると、少なくとも、西崎は肉じゃがを煮るコンロの火を見て部屋から逃げ出すくらいに火を恐れ、蠟燭《ろうそく》にも恐れを抱いているはずなのだ。それも、シルバーの燭台つきの。

そんなヤツが、とっさに起こした行動とはいえ、燭台を手に取るだろうか。確か、同じ場所に、同じような形をしたシルバーの花瓶があった。ヤツならそっちを手に取るんじゃないか。

だとすれば、燭台を手に取ったのは、誰だ。奈央子さんか?

西崎に襲いかかる野口氏の後頭部を一撃。じゃあ、そのあと奈央子さんは誰に刺されたことになる？　西崎か？　三人で片付けられれば問題はない。同じ場所に、杉下がいた。

わたしはずっとこの部屋にいたから、と警察に通報する前に、奥の書斎にも案内してもらったけれど、彼女はどうして野口氏を引き留めておけなかったのだろう。あの部屋の将棋盤に並べられた駒のかたちは、僕が同窓会の日に彼女から受け取ったメモに書かれていたものとまったく同じだったのに。解決策は最初からわかっていたはずなのだから、どうにでもコントロールできたはずだ。

本当に、彼女はずっとあの部屋にいたのか。

それを彼女に訊ねたら、本当のことを答えてくれるだろうか。

もしも、彼女もまた、あのとき嘘をついていたのだとしたら、火事のときとは違い、それは僕のためではないはずだ。じゃあ、彼女は誰のために何をし、何を隠しているのか。

直接訊くのが怖くて、先に、別のヤツらに話を聞いてみようか、と思う僕は、やはり、昔の通り、ふがいない男なのかもしれない。

せっかく、小さいながらも店を持ち、十年ぶりに彼女を食事に招待することができそうだというのに。

第三章

「灼熱バード」

気が付いたときにはもう、ぼくはこの部屋で男と女と一緒に過ごしていた。

広い部屋の片隅に置かれたケージの中がぼくの居場所。そこから見えるのは薄紫色のカーテンで閉ざされたベッドだけ。

ぼくはその日まで、他に自らの意志を持って動くモノを目にしたことがなかったから、自分も彼らと同じ姿をした、同じ種類の生き物だと思っていた。だが、それを嬉しいと思ったことはない。

男は色黒でからだが大きい。女は色白でからだが小さい。見た目には男の方が強そうだが、苦悶の声をあげるのはいつも、男の方だった。

愛してる、愛してる。

カーテンの向こうで何が起こっているのかはわからない。絞り出すような男の声を聞きながら、ぼくはその言葉の意味を考えた。

愛してる、とはどういうことなのだろう。考えても考えてもわからない。それは、ぼくが「愛してる」とは無縁の世界で生きているからに違いない。女に与えられた食事をとり、あとは気が向くと歌をうたってみたり、眠ったり。そんな毎日のどこにも「愛してる」が関係しているとは思えなかった。

だって、ぼくは男のような苦悶の声をあげたことがないのだから。

その日、ケージは窓辺に移動させられた。ぼくにお日様の光をあててやるためだ、と女は言った。初めは、まぶしくて目も開けられず、もとの場所に戻してほしいと思ったが、暖かい空気にからだを包み込まれているうちに、徐々に心地よさを感じるようになっていった。何よりも、少しずつ慣れてきた目に映る景色がすばらしかった。

窓の外には色が溢れていた。時折、動くモノを見ることもできた。

「お外はすばらしいでしょ。この世界はみんな、あなたのものなのよ」

女が窓辺に立ち、ぼくに言った。

「素敵だね」

ぼくがそう答えると、女は「怖がらなくてもいいのよ」と微笑んだ。時折、女はぼくの言葉を理解できていないのではないか、と思うことがある。それはとてもつまらないことだが、男のように金切り声をあげられるよりはマシだった。

女は外を見上げている。

「トリが飛んでいるわ」

大きく手を広げ、空を流れていく生き物。あれはトリというのか。ぼくは自分の手を見た。小さな白い手。男と女を見ながら、なぜ自分だけがこんなに小さいのだろうといつも疑問に思っていた。同じ生き物ではなかったからだ。

ぼくはトリだったのだ。

女が男に振り返った。

「あなた知ってる？　わたしが生まれ変わったら何になりたいと望んでいるか」

部屋の中央に置かれた革張りのソファにもたれてうとうとしていた男が、ハッとしたように背筋を伸ばした。

「生まれ変わったらなんて、縁起でもないこと言わないでくれよ」

ぎこちなく足を組み替える。

「誰も今すぐに、なんて言ってないわ。でも、人間いつかは死ぬの。それからのことよ。ねえ、愛してるのなら当然、わかるでしょ」

女が満面に笑みを浮かべると、男はごくりとツバを飲んだ。

「ああ当然さ。きみは……トリになりたいんだろう?」

「やっぱり!」

女が甲高い声をあげた。笑顔が一瞬で消える。男の顔も凍り付いた。

「違う、のか?」

「やっぱり、あなたはわたしを愛してなんかいない。愛してるフリをしているだけだわ」

女は窓辺を離れ、男に詰め寄った。男の太ももにひざをのせ、両手で顔を挟む。

「わたしを騙そうとしても、無駄よ」

「なぜそんなことを言う。僕はきみを愛してる。何百、何千回も繰り返したこの言葉をどうすればきみは信じてくれるんだ。僕はきみの望みにすべて応えた。家庭を捨て、名誉を捨てた。財産のすべてをきみに捧げるとも約束したはずだ」

「だって、そんなことをしても、あなたが肉体的な痛みを感じることはないじゃない。わたしはあなたのためにからだが引き裂かれるような痛みを乗り越えたわ」

「それは感謝している。心の底からだ。……きみを愛している」

「だったら、証拠を見せて」

「それは、きみの望むことか」

「ええ、心の底から」

「それで信じてくれるのなら」

男はソファにもたれると、女に身をまかせた。女が男のシャツのボタンを一つずつ外していくと、男の浅黒い胸があらわになる。男の胸には、赤黒いモザイク模様があった。ぼくはそれを目にしたとたん、醜いと感じた。だが、女は美しいものを眺めるように目を細め、指先で丁寧に模様をなぞっていった。

全部なぞり終えると、女は脱がせた男のシャツのポケットからライターを取り出し、ガラステーブルの上にある、銀の燭台に立てた赤い蠟燭《ろうそく》に火を灯《とも》した。

赤い炎がゆらゆらと揺れ、蠟が溶けていく。それを女は燭台ごと持ち上げ、男の胸のまだ模様のない部分に垂らした。

男は顔を歪《ゆが》めながら、苦悶の声をあげる。

聞き慣れた言葉。

愛してる、愛してる、愛してる、愛してる。

「わたしも、愛してる。あなたを心から愛してる」

燭台を置き、男の胸の上で固まった赤い蠟を、白い前歯と赤い舌ではがしながら女も「愛してる」を繰り返す。

これが「愛してる」なのか。この二人は、毎日、カーテンの向こうでこんなことを繰り返していたのか。心地よさとは無縁の行為と思えるが、なぜ、「愛してる」を求め合うのだろう。そもそも、生きていくのに「愛してる」など必要なのか。

理解できないのは、ぼくがトリであるからだろうか。


ぼくのからだが少し大きくなると、女はぼくを部屋の中に解放してくれるようになった。夜にはケージに戻されるのだが、テーブルで食事をとり、部屋の中を自由に動きまわることを許された。だからぼくは、「愛してる」が始まると、ベッドの奥に身を隠し、その行為を目に入れないようにすることにした。


男が姿を消したのはその頃だったか。

たばこを買いに行ってくる。ある朝、男はそう言って出て行った。

その晩、女は銀の燭台を片手に、荒れ狂う台風のように部屋中のものをなぎ倒し、破壊していった。ガラステーブルにひびが入り、薄紫色のカーテンがずたずたに引き裂かれる様を、ぼくはケージの片隅で息を殺しながら見ていた。この嵐が収まるために、男が帰ってくることを願ったが、帰ってくればさらにひどいことが起こるような予感もして、次第に「逃げろ逃げろ」と胸の中で祈り出していた。

一晩中続いた嵐は、その後、しとしとと降り続ける雨へと変わった。女はベッドに横たわり、声を出さずに泣いていた。男の名を叫びすぎてのどがつぶれてしまったのかもしれない。季節は秋。窓の外でも永遠に降りやまないかのような冷たい雨が降り続けていた。

雨は翌朝まで続いた。静かな部屋に響く雨の音と窓から差し込む淡い光とで、浅い眠りから目を覚ましたぼくは、おなかがすいたと思った。その頃にはかなり女と言葉が通じ合うようになっていたから、空腹を訴えることは簡単だった。

「ごはん、ちょうだい」

そう言えば、女は喜んでテーブルに食事を運んでくれたし、ほとんどの場合はこちらが訴える前に準備をしてくれていた。

しかし、このときばかりはそうすることができなかった。裂けたカーテン越しに見える女の背中がまだ震えていたからだ。女は青いシルクのブラウスを着ていた。女の背中が震えるのに合わせ、ブラウスの光沢がわずかに波打つ。悲しみのダンス。それを見ながら、ぼくは空腹をやりすごすことにした。

ぼくが食事にありつけたのは、さらに一夜明けてからだった。のどの渇きと空腹とで吐き気を催し、苦しさで視界がぼやけ始めた頃、ケージのドアが開けられた。

「ごめんなさいね」

そう言って差し出された水をむさぼるように飲んだ。

女は赤く腫れ上がったまぶたに、水に浸したハンカチを片手で当てている。きっと、ぼくのことなど忘れていたのだ。まぶたを冷やすためにベッドから起き上がり、ついでのように思い出しただけ。だがもしも、女が男を追って出て行ってしまっていたら。

そのとき初めて、ぼくはこの女に生かされているのだということに気が付いた。

約三日ぶりの食事を口いっぱいに頬張るぼくを、女は腫れ上がった目でじっと見ていた。

「きれいね。本当にきれい」

ぼくのことだろうか。「きれい」は男が女によく使っていた言葉だ。ただ、女もときどき口にしていた。男からの贈り物である、花や小さな石を見て。ぼくはもしかすると、自分も男からの贈り物なのかもしれない、と思った。

「ねえ、わたしのこと、愛してる?」

その言葉をかけられるのは、いつも男のはずだった。しかし今、部屋にはぼくと女しかいない。初めて自分に向けられたことにとまどいながらも、僕は口の中のものをあわてて飲み込み、答えた。

「あいしてる」

初めて発した言葉が無事通じただろうか。不安な気持ちで女を見ていると、彼女はまぶたが腫れていつもの半分の大きさに狭まっていた目をさらに細めて嬉しそうな顔をした。

よかった、無事通じたのだ。

「まあ、まあ、そんなにあわてて答えてくれなくてもいいのよ。ちゃんとごはんを飲み込まなきゃ、のどに詰まらせてしまうわ。さあ、もっとたくさん食べなさい。おかわりしてもいいのよ。今日からは、あなたの好きなものばかり作るわ」

女に頭をなでられ、ぼくはゆっくりと水を飲んだ。のどのあたりに残っていた咀嚼《そしゃく》しきれていない穀物のつぶがからだの中へ流れていくのを感じながら、これでいいのだ、と思った。

愛してる？　と訊かれ、わずかにでも間が生じてしまったらどうなるのか、ぼくは何度も目にしていた。めちゃくちゃに振り回されていた銀の燭台はベッドの下に転がされている。あれに蠟燭を立て、火を灯し、身を焼かれないようにするためには、女の問いかけにすぐに答えなければならない。

そうすれば、女は限りなくやさしく接してくれる。

だが、気をつけなければならないのは、「愛してる？」以外の問いかけだ。どんなにすぐに答えても、それが女の望んだものでなければ、女はとたんに叫び声をあげ、証拠を見せろ、と火の準備をするに違いない。

以前から、ぼくにはなんとなく、女の求めている言葉がわかった。男が慎重に言葉を選びながら答えているのを聞きながら、ああまた違う、と落胆するような気持ちになったことが何度もある。こんなこともわからないなんて、あの男は、実は、火あぶりにされるのが好きで、わざと間違えているのではないか、と疑ったこともあるくらいだ。

ただ、心配なのは、ぼくの言葉がすべて彼女に伝わるか、ということだった。

男が去って数日後、ケージは部屋から持ち出され、ぼくは女の隣りで寝ることになった。引き裂かれた薄紫色のカーテンは、水色のものに新しく取り替えられ、ぼく専用の柔らかい枕も用意された。

女の隣りで初めて寝ることになった日は、ぼくを先に寝かせようと女が指先でからだをなでてくれているあいだはいいが、いざ寝てしまうと女の背中に押しつぶされてしまうのではないかと不安になり、眠っているのか起きているのかわからない状態のまま夜明けを迎えてしまった。しかし、死んでいるのではないか、と思われるほど、女がベッドに入ったときと同じ状態で眠っているのを見て、翌日から安心して眠ることができた。

女の隣りで眠り、食事をとり、愛してる？　と訊かれ、間髪を容れずに愛してると答える。音楽を聴きながら、「どの曲が好き？」と訊かれ、「さんばん」と答えると、「わたしもよ」と目を細めて頭をなでられる。

そんな日々が続いた。

ケージから出された直後は広いと感じていた部屋も、日が経《た》つにつれて、窮屈《きゆうくつ》に感じるようになっていった。女はごくたまに部屋の外へと出て行ったが、ぼくを連れていこうとはしなかった。

「この部屋の外は醜いもので溢れているの。あなたはそんなものを見てはダメ。ここでわたしが帰ってくるのを待ってて」

そう言って、鍵をかけて出て行った。からだが小さく、力もないぼくは、鍵を開けられないどころか、ドアノブを回すこともできなかった。せめて窓でも開いていれば、トリであるぼくは外に飛んでいけるのに、と思ったが、女は出かけるときは必ず、窓の鍵も閉めていった。それどころか、女が部屋にいるときでも、ぼくが一人で窓辺に近づくことは許されなかった。

「ここは、とても高い場所なの。落ちてしまうと大変よ」

トリだから大丈夫、と思ったものの、ぼくは黙って頷《うなず》くことにした。笑いながら寄り添い合っているときでも、女の言葉を否定した男は火あぶりにされていた。

天上の星と地上の星、美しいのは地上の星だわ。女がそう言ったのに対し、男は、僕は天上の星にロマンを感じるね、と答えただけだった。

火あぶりにされてまで、外に出たいとは思わない。部屋の中央からも、外を見ることはできた。だが、青く澄み渡った空は別世界。醜いものを隠すため、窓の外にかけられたカーテンなのだと思うことにした。

ある晩、粟立《あわだ》つような感覚が背中に走り、目を覚ました。

眠っているあいだは一ミリも動かないはずの女が、布団の内側から手を伸ばし、ぼくのからだをなでていたのだ。なでられたのは初めてではない。ぼくを寝かしつけるとき、音楽を聴いているとき、何でもなくただ機嫌のいいとき、女はぼくの頭やからだをなでた。ぼくはそれがきらいではなかった。

しかし、このときばかりはなぜか、女に触れられた場所がふつふつと粟立つような感覚に囚われ、ぼくは思わず、女の手をはねのけてしまった。

「なんてこと」

低いつぶやき声だった。しまった、と思ったがもう手遅れだった。

「なんてことなの？　あなたはわたしを愛しているんじゃなかったの？」

ゆらゆらとからだを起こした女に、布団を引きはがされ、両手で胸を押さえつけられた。

「あいしてる」

息苦しさに耐えながら、きれぎれに吐き出した言葉はもう彼女には伝わらない。

「苦し紛れにそんなことを言っても無駄よ。この、嘘つき。愛してないなら、初めから言わなきゃいいのよ。それとも、わたしを苦しめるために、わざと騙して裏切るの？　それなら出て行けばいい。あの男のところにでも行けばいい」

出て行けと言いながら、女はぼくの胸をさらに強く、両手に全身の力を込めて、押しつけた。出て行こうとすれば、きっと殺されるに違いない。ぼくはふと思った。

男は生きているのだろうか。

「あいしてる、あいしてる、あいしてる」

苦しみから解放されるための呪文のように、ぼくは出せる限りの声で繰り返した。目から温かい液体がこぼれてきた。涙は女の目からしか流れないものだと思っていた。

トリも涙を流すのだ。

女の手が胸から離れた。

「ごめんなさい。あなたを悲しませたいんじゃないの」

大きく息を吸ったあと、ゆっくりと女を見ると、彼女もまた涙を流していた。だが、ぼくの涙と彼女の涙が同じものだとは思えなかった。ぼくの涙は、恐怖。女は指先でぼくの涙をぬぐった。

「ねえ、わたしを愛してる？」

「あいしてる」

女が「る」を言い終わらないうちに答えた。

「嬉しいわ。でも、もうあなたのこと、言葉だけじゃ信用できなくなっちゃった。――証拠を見せてよ」

火あぶりだ。女の手からすり抜け、ベッドの下に潜り込んだ。

「許さない！」

女が甲高い声をあげた。引きずり出しそうな勢いでベッドの下をのぞき込んできたが、小さな隙間に女は入り込むことができない。重いベッドを、持ち上げることも動かすこともできない。四方から手を伸ばしても、広いベッドの下の真ん中にいるぼくに、触れることもできない。

だが、ぼくのからだは震えていた。

女は「許さない」と叫びながらベッドを両手で叩き続けている。一晩中こうしていても女が力尽きないことを、ぼくは知っている。ほこりが充満し、息苦しさにむせかえったが、恐怖から解放されるためには、このままここで眠るしかない。目を閉じ、耳をふさぐ。

できればこれは夢であってほしい。目が覚めたらいつも通りの柔らかいベッドの上。隣りには女がベッドに入ったときと同じ姿で眠っている。そうであってほしい。そうでありますように——。

そんな都合がいいことなど起こるはずがない。夜が明けた気配がして、ゆっくりと祈るような気分で目を開けると、女と目が合った。赤く充血した目。一晩中、ベッドの下をのぞき込んでいたのか、ぼくが起きたことに気付いたのか。

女はにこりと笑った。

「おはよう。ぐっすり眠ったら、証拠を見せてくれる気分になったかしら」

証拠を見せずに許してくれることなどあり得ないのだろう。たとえ、このままもう一度目を閉じても、何も変わらない。

火あぶりにされるか、殺されるか。

ぼくは心を殺し、感情を持たないトリになることを選んだ。

あなたの愛の証拠は思った以上に美しい。

色の黒いあの男には、赤黒いシミのような痣《あざ》しかできなかったけれど、あなたの白い肌には真っ赤な痣が浮かび上がる。ほら、これなんかハート形をしているわ。からだじゅうを愛の証拠で埋め尽くしてくれたら、あなたの愛が本物だということを信じてあげる。

白いからだに刻まれた醜い痣の数は、愛の証拠などではない。トリが食事をした回数だ。愛の証拠と引き替えに女はトリに食事を与えた。空腹が極限まで達したトリは、生きるという本能だけで女の用意した火の中に飛び込んだ。

灼熱の炎の中にのみ、生がある。

食事はオーブンの中。

生きるため、えさを求めて、自らの意志で熱したオーブンの中に飛び込むトリほど愚かな生き物がいるだろうか。いや、じりじりと一ヶ所ずつ焼かれるくらいなら、いっそオーブンで一瞬のうちに丸焼きにされる方が幸せに違いない。あと何ヶ所焼かれれば、灼熱地獄から解放されるのか。そのときトリは生きているのか。

しかし、解放の日は突然訪れた。

男が帰ってきたのだ。男が床に頭を擦《こす》りつけて、もう一度自分を愛してほしいと女に乞い続けるのを、トリは隠れるように毛布にくるまり、部屋の片隅でじっと見ていた。

なぜ、男は帰ってきたのだろう。トリにはまったく理解できなかった。炎の熱さを忘れてしまったのだろうか。

だが、どんなに言葉を重ねても、女は男を受け入れようとはしなかった。目を合わせようとも、口を開こうともしなかった。

「愛してる、愛してる、愛してる。ほら、証拠を見せろと言ってくれ。言ってくれないのなら——」

男はテーブルの上の燭台に赤い蠟燭を立て、火を灯した。片手をかざして炎の熱さを確認する。そして、その手で燭台を手に取り——顔を背けたままの女の頰に押し当てた。

女は断末魔の悲鳴をあげ、その場に崩れ落ちた。何が起こったのだ。心を殺したトリには、女の心が死んだことだけがわかった。

男が女を抱き上げた。

「これでもう、きみを愛せる男は僕だけだ。いや、これからはきみが僕を愛する番だ。さあ、僕を愛してると言ってくれ。そして、愛の証拠を見せてくれ。そうすれば、きみのことを心の底から愛してやってもいい」

ベッドに女を寝かせると、男はトリの方にやってきた。トリがくるまっていた毛布をそっとめくりあげ、息をのむ。赤い赤いモザイク模様。

「すまない、僕のせいだ。彼女の愛を受け止めきれず、放棄してしまった罰を、まさかおまえが受けていたなんて」

男は涙を流しながら、トリを強く抱きしめた。

「今日からおまえは自由だ。どこへでも好きなところへ行くといい。僕たちのことなど忘れてくれ。だが、自分が捨てられたとは思わないでほしい。おまえは究極の愛を求め合った男と女のあいだにできた子なのだから。愛の証拠はあんなバカげた行為ではない。おまえなのだ」

しかし、どんなに男が言葉を重ねても、トリには、男の言葉が理解できなかった。それよりも、空腹でたまらなかった。飛び込む灼熱地獄は見あたらない。

ついに死んでしまうのか。

灼熱バードは声をあげて鳴き続けた。

愛してる、愛してる、愛してる、愛してる、愛してる――。

*

五十二階建てマンションの最上階のラウンジ、地上二百十メートルの高さにいるということになる。だが、どんなに高い場所であっても視界を遮《さえぎ》るものがある限り、自分の足元が世界の果てにつながっていることを感じることはできない。それを教えてくれたヤツは今頃、四階下の狭く閉ざされた部屋で、将棋盤に向かっているはずだ。

野口貴弘のために。

「野バラ荘」で学生時代を過ごさなければ、俺は彼を心から尊敬していたに違いない。成功者に必要なのは、五パーセントの才能と九十五パーセントの努力。磨き上げた能力を武器に、どんな局面でも正面から挑んでいく。能力の劣る周りの人間はみな、己を成功に導くためのコマであり、それらを自由に操りながら、世界を切り開いていけるのは、努力を惜しまない者だけだ。

そういう人間になりたいと思っていた。

物心ついたときには、自分の能力が周りの者より秀でていることに気付いていた。島の年寄り連中からは「神童」と呼ばれることもあったが、それとは違うということも理解していた。

俺の能力は神懸かり的なものではなく、努力によって導き出された結果だ。

勉強もスポーツも同級生の誰にも負けたことはなかった。しかし、それで満足することもなかった。田舎の公立校の定期考査でトップをとったところでどうなる。サッカー部のキャプテンになったところでどうなる。それらを将来につなげてこそ、努力の甲斐があるのではないのか。

だが、人口三千人にも満たない島の中では、努力の果ての成功がどこにつながるのかはわからなかった。ただ一つ言えるのは、島から出なければ何も始まらないということ。全国版の天気予報では地図から省略されてしまうような小さな島で蓄積《ちくせき》し続けてきた能力を、発散してもしたりない、さらに努力が必要な広い世界で自分自身に挑み続けるのが生涯かけての目標であり、生きている価値だと思っていた。

高校を卒業し、進学を機会に島から出ることに、親はまったく反対しなかった。両親ともに島の役場に勤めているため経済的なことで問題はなかったが、一男一女の長男ということで、卒業したら帰ってこい、と言われるかもしれないと心配していた。だが、「帰ってくるなとは言わないが帰ってくる義務もない」と送り出された。

そうなると逆に、負担をかけたくないという意識が強まり、下宿は通学には便利だがあとの利点は雨風をしのげるだけ、という築七十年の木造二階建てのアパートを借りることにした。

「野バラ荘」――小洒落た名前のように思えるが、大家のじいさんの「野原」という名字にかけて付けられた名前だ。

家賃が安いということは認識していたが、同じ大学の車を持っているヤツと話していると、都心にある学校に通うのに一時間かかるようなところにあるマンションの駐車場代よりも安いと知り、改めて驚いた。

そんな安ボロアパートは案の定、住み始めて三年目の秋、大型台風が上陸した際に床上浸水になり、屋根の一部がふっ飛んでしまった。そして、あいつらとの出会いをもたらした。

杉下希美。どこにでもいそうな女子大生。研究室の泊まり込み明け、アパートの外で何度か顔を合わせたことがあり、朝帰りの多いヤツだなと思ったことはあったが、口をきいたのは初めてだった。関わって利点があるとはまったく思えなかったが、同じ名前、そして、小さな島出身ということがわかり、親近感を覚えた。

西崎真人。俳優かと思うほどきれいな顔をしたあいつは、出会った初日に谷崎潤一郎を語り、自分も作家を目指している、と後日、一番の自信作だという原稿を持ってきた。

「おまえたちなら、俺の作品を理解できるかもしれない」

そう言って杉下にも渡していたが、単に田舎者だから、と見下されているような気がして、かなり不愉快な気分になった。だが、同じ屋根の下に住んでいる者のよしみとして、最初の数枚くらいは読んでやることにした。

タイトルは「灼熱バード」。

原稿を渡されてから数日後、西崎から「今夜あたり、一緒に飲まないか」と誘われた。台風以降、飲み会の回数を重ねるごとに、こいつとは合わないと感じ、原稿を読み始めてからはさらにその思いが強まっていたため、断ろうかと思ったが、「杉下も誘った」と言われ、それなら、と参加することにした。美味《うま》い料理にありつけるからだ。

西崎の部屋で飲み会が開かれるのは初めてだった。

ワインとビールは西崎が用意しているというので、実家から送られてきたハムを持っていくと、杉下が魚の南蛮漬けや肉じゃがといった総菜を皿に盛りつけている隣りで、西崎はすでに安いワインのボトルを開けてちびちびと始めているところだった。

畳の上に敷かれたラグの端の方に座ると、杉下がグラスを持ってきてくれた。ワインかビールかと訊かれ、ビールと答えると、西崎が冷蔵庫から発泡酒を取り出し、注いでくれる。

「ようこそ、安藤クン。わが書斎へ」

「ああ、どうも。ってか、書斎?」

言われて六畳間を見渡すと、そう言えなくもなかった。部屋の隅には、万年筆と書きかけの原稿用紙が広げられた大きな机があり、その横には本棚が置かれている。並んでいるのは文庫本ばかりが五十冊ほど。作家を目指しているわりには少ないのではないか。だが、それもどこまで本気なのかはわからない。

本棚の中段にはノートパソコンとプリンターが置かれている。もらった原稿はワープロ打ちされたものだったから、あれで作ったのだろうが、では、あの原稿用紙は何なのだろう。

「西崎さんって、原稿、手書きで書いたりもするんですか？」

「嬉しいね、さっそく原稿の話とは。杉下なんて、来てからずっとスキューバダイビングのライセンスを取る話ばかりだ」

「へえ、女子大生は気楽なもんだな」

嫌味っぽく聞こえてしまっただろうかと杉下を見ると、どうということないような顔をして手酌でグラスにワインを注ぎ、俺の持ってきたハムについていたミニレシピを読んでいた。

「原稿は手書きだよ。ワープロじゃ魂を吹き込めきれない。けど、最近の公募はワープロ原稿を出せとか、フロッピーを添付しろとか規定があってね。だから、一度手書きしたものを清書もかねてワープロ打ちしてるのさ。まあ、そのおかげでこうして原稿を渡して、感想を求めることもできるんだから、悪くはない。実は公募に送る以外で他人に読ませるのは初めてなんだ。このあいだ親しくなったばかりだが、きみたちならわかってくれるような気がしてね——で、どうだった？」

西崎は感想が聞きたくて、今日の飲み会を開いたのか。そんな気がしないでもなかったが、逆に自分が書いた小説などというデリケートなものは、面と向かって感想を聞くのに抵抗があるのではないか、とも思っていた。だが、このきれいな顔はどう見てもワクワクしているようにしか見えない。人間の価値観などみな同じようなものだろうと思っていたが、どうやらそうでもないようだ。

「実はまだ、始めのあたりしか読めていなくて」

「なんだ、おまえもか」

も、ということは、と杉下を見る。

「ごめんなさい。いろいろ忙しくて」

西崎にまったく悪気なさそうに頭を下げている。お気楽そうな女子大生が何が忙しいというのだろう。コンパか、デートか。たいした用事はないけれど、原稿を読むのが面倒だったのではないか。俺は——苦痛だった。

「じゃあ、読んだところまででいい。むしろ数回に分けて、細部にわたり、じっくりと感想を聞こうじゃないか」

西崎はスティック状に切ったきゅうりをかじりながら言った。細長いグラスにきゅうりとにんじんとセロリが立てられている。トリのえさか。いや、トリの話だ。

「俺が読んだのは、理解できないのは、ぼくがトリであるからだろうか、ってところまでだけど、なんていうか、どれだけの美女なのか知らないけど、我儘《わがまま》で高慢な女に振り回されるバカな男、っていう構図がもうダメだ。トリを見たあと、生まれ変わったら何になりたいかわかる？　なんて訊かれたら、普通、誰でもトリって答えるだろ。結局、女は変態プレイに持ち込みたいだけで、何を言っても難癖付けるんだろ。なんかもう、暇人が勝手にやってろ、としか思えない」

途中までとはいえ、読んで何も得るものがない話だ。作者の人間性のせいか。俺が人生で一番大切だと思うのは、努力、及び、向上心だ。それが物語のどこにも表れていないということは、西崎にもないのだろう。

「安藤らしい意見だ。杉下はどう思う？」

「わたしも読んだのは同じところまでだけど、感想はちょっと違うかな。女はやってることはひどいけど、難癖付けてるわけじゃないと思う。ああいう激しそうな人は、生まれ変わって、トリになりたいとは思わないだろうから、ホントにがっかりしたんじゃないかな」

「なるほど、興味深いね。じゃあ、女はどう言ってほしかったんだろう」

「人間。きみは生まれ変わってもきみであるべきだ、なんてね」

「おもしろい解釈だ」

「でも、ホントは西崎さん、女の答えは考えてなかったんじゃないの？　当たり外れは関係なく、こういう理不尽な要求を受け入れることこそが本当の愛なんだ、って言いたいのかな、って思った」

「いいね、杉下。前半を読んだだけで、この物語のテーマを言い当てるとは。こんなにわかりあえるなんて、俺のこと好きなんじゃない？」

「残念。きれいすぎて引く。それに、西崎さんの考えていそうなことは想像できても、わたしが同じこと考えてるかっていうと、全然別だから。物語の男と西崎さん像も重ならないし」

　そういうものか。俺はてっきり西崎がそういう趣味なのかと思っていた。それにしても、ヒマなヤツらほど、つまらないことを大袈裟に語れるものだ。

「じゃあさ、杉下にとっての愛って何？　——言い換えよう、究極の愛だ」

　文系のヤツらはこういうことで盛り上がるのか。もっと生産性のある話を——。

「罪の共有」

杉下がつぶやいた。西崎ならまだしも、杉下はもう少し地に足のついたヤツだと思っていたのに。くだらない議論だが、それならいっそ論破してやりたい気分になった。理系をナメるなよ。

「物は言い様、ってヤツだな。それって、中高生のガキが二人で万引きして、手を取り合って逃げているうちに気分が盛り上がってくる、ってのと一緒じゃないか。低レベルな愛だな、まったく」

「それは、共犯でしょ。共有ってのは、誰にも知られずに、相手の罪を自分が半分引き受けることなの。誰にも、っていうのはもちろん、相手にもね。罪を引き受け、黙って身を引く」

「そんなの愛とは言わない。あえて言うなら自己愛だ。黙って罪をかばってちゃ、そいつは一生自分の罪に気付かない、ダメ人間のままじゃないか。俺だったら、自分の彼女が犯罪をおかしても、それをかばおうとは思わない。そういうの間違ってるだろ」

「じゃあ、警察に突き出すの？」

「一緒に行く。そして、できる限りのことをしてやる」

「刑務所とか入ることになったら？」

「待つ。それで、二人で新しい人生を始める」

「安藤、今、彼女いないでしょ」

「おまえみたいにチャラチャラ遊んでるヒマはないし、理想が高いんでね。それに、俺はどんな状況になっても自分の意志は簡単に変えない」

「ふうん。かっこいいね、そういうの」

他人事《ひとごと》のようにそう言って、杉下は立ち上がった。俺が持ってきたハムを持って、流し台に向かう。これは、論破したことになるのだろうか。どうにも納得できない気分でいると、西崎がセロリを突きつけてきた。

「熱いね、安藤クンは。正義感のかたまりだ。でも、彼女……なら別れればいいだけか。愛の定義が変わってくるかもしれないが、もし、家族が犯罪をおかしても、警察に突き出せるの？　身内だと、きみにも厄介なことが降りかかってくるよ。わりといい会社に入って、そこそこ出世しそうなのにさ、それを棒にふる覚悟はあるわけ？」

「そもそも、俺の身内はみなまっとうに生きているし、これからだってそうだ。結婚相手にしても、俺は犯罪をおかすようなヤツは愛さない」

「美しいねえ、安藤クンの人生は。まあ、杉下も現実的には安藤と同じなんだろうけどさ。所詮、究極の愛なんてものは、フィクションの中でしか存在しないからね。――待て、杉下、何してる」

突然、西崎の顔色が変わった。見ると、杉下がガスコンロの前でハムのかたまりに両端からフォークを突き刺していた。

「レシピにフライパンで焼くとさらにおいしい、って書いてあるんだけど、西崎さんち、お鍋もフライパンもないから、コンロでそのままあぶっちゃおうかな、って」

「いい、やめろ。ハムなんだから、そのまま切ればいいじゃないか。いいハムはそのまま食ったほうが美味《うま》いんだ」

自分の小説をけなされても余裕の笑みで受け流す西崎が、ハムごときにムキになるとは。ベジタリアンかと思っていたが、そうではなさそうだ。杉下の作ってきた鮭の南蛮漬けもつまんでいる。俺は焼いてほしかったが、野外活動もどきの杉下のやり方よりは、そのまま切って食べる方が無難な気がして、西崎に賛成した。

杉下が厚切りにしたハムを載せた皿を持ってくる。西崎が一切れつまんだ。美味そうに食っている。

「——それで、西崎さん、『灼熱バード』は選考のどのあたりまでいったの?」

杉下が訊いた。

「最初に読んだ選考委員は、究極の愛について理解できないヤツだったらしい」

「そっか、一次も通らずか。お疲れ様でした」

グラスを西崎のグラスに合わせる。安っぽいグラスの音まで虚《むな》しい。

俺は一次選考も通過していない作品のために、貴重な時間を費やしてしまったということか。続きを読むことは、もうないだろう。今こうしてこいつらと過ごしている時間すら、無駄なことのように思えてきた。


あいつらとはつきあわないようにしよう、と思ったにもかかわらず、数日後に、西崎や杉下と共同作業をすることになった。雨漏りの修理だ。

晴天続きで気付かなかったが、台風のときに、屋根の一部が飛んでしまっていたようだ。アパート一階の一番奥の部屋に住む大家のじいさんに修理を頼みに行くと、じいさん自身が工具箱を取り出し、屋根に上る準備をし始めた。業者に頼まないのかよ、とあきれながら、八十を過ぎたじいさんに万が一のことが起こっても困るため、道具だけ借りて、自分で作業をすると申し出た。

窓から様子が見えたのか、「台風のときにはお世話になったから」と杉下が手伝いを申し出た。同様に西崎も部屋から出てきたが、正直、どちらもそれほど役に立つとは思えなかった。

だが、一番役に立たなかったのは、残念ながら、俺だ。

屋根に上り、雨漏りする箇所のトタンを外し、板を打ち付け補強して、再びトタンをかぶせる。作業はまず、ホームセンターで買ってきた板をのこぎりで切るところから始まった。

「安藤、節の部分をガリガリやっちゃ、刃こぼれするでしょ。理系なんじゃないの？」

「理工学部、化学科だ」

「はい、交替」

杉下は俺の手からのこぎりを取ると、こちらが五分かけてようやく三分の一終わらせていた作業を一分もかからないうちに終わらせた。それを持って西崎が、二階の通路にかけたはしごから屋根に上っていく。

「おい、西崎、おまえ釘なんて打てるのか？」

「心配ご無用。俺は器用なもんでね」

せっかく声をかけてやったのに、涼しい笑顔で返されただけだった。

その間に杉下はもう一枚板を切り終えていた。それを渡される。

「安藤、のこぎりはもういいから、これ持って屋根上って釘打ってきてよ。あーでも、釘打ちもダメそう。数、ギリギリしかないし、西崎さんにまかせておいた方がいいかな。いっそ、昼ご飯の支度、もダメか。干物、焦がしてたよね。トースター使ったのに。――ねえ、この状況で安藤にできることって何？」

これほど屈辱的な言葉を浴びせられたことはない。

「のこぎりは中学以来だったんだから仕方ないだろ。田舎者がみんな大工仕事できるわけじゃないの。たまたま自分ができるからって、自慢してんのか」

「わたしは別にそういう言い方はしてません。安藤ののこぎりの使い方があまりにも下手すぎるから、それなら自分がやった方がマシって思っただけ。だいたい、田舎者なんて関係ないでしょ。見てよ、西崎さんを。一番こういう作業が似合わない人が大活躍してるじゃない」

見上げると、西崎は屋根の上に片膝を立ててかがみ、釘を打っている。そんな姿すら気取って見え、少しむかつきもしたが、リズムよく打ち下ろされる金槌《かなづち》の音は心地よく耳に響いた。

「板きれ、頼むよ。こんなところにずっといちゃ、日焼けするからさ」

西崎が声を張り上げた。なにが日焼けだ。そういえば、あいつは夏場も長袖を着ていた。

「ちょっと待ってて」

杉下がのこぎりを握り直したが、横から奪う。バカにされたままではすまされない。だが、またしても歯が引っかかってしまった。

「どうして、節の上を切ろうとするかな」のこぎりを奪い返される。

「二メートルの板を四等分するんだ、五十センチずつだろ」

「五十センチ計って線を引いたところが、ちょうど節の上だったわけね。お城の模型作ってるわけじゃないんだし、そういう場合は少しずらそうよ」

そう言い終わると同時に、切り終わる。

結局、俺がやったことといえば、杉下が切った板きれを、屋根の上の西崎に渡しただけだ。終わった頃に、野原のじいさんが寿司を買ってきてくれた。パーティーセットとやらで、三人で一緒につままなければならない。

杉下がじいさんを誘うと、自分用にも買ってあるからと、俺たち用に買ったものよりもワンランク安そうな寿司の入った小さなパックを見せられた。

寿司は杉下の部屋で食べることになり、やかんで沸かした冷めたお茶を片手に、三人で布団のないこたつを囲み、つまみはじめた。

「じいさんもさ、こんなアパート売っ払って、介護付きのマンションにでも住めばいいのにな。建物はボロだけど、土地はいい値段になるだろ」

前々から思っていたことを口にしてみる。

「そういう話は持ちかけられてるけど、おじいちゃんは拒み続けてるの」

「なんで？　いいチャンスじゃん」

「何十年も住み続けてきたところを、他人に言われて、はいそうですか、って簡単に売れるはずないでしょ」

「そんなもんか？」

「安藤、実家に帰って、いきなり知らない人が来て、今日からここに住むから出て行け、って言われたらどうする？　安藤の部屋にドーンと立派なドレッサーが置かれて、自分の荷物は廊下に投げ出されるの」

「そんなことはあり得ないだろうけど、ちゃんと手続きふんでたら別にいいんじゃないか？　だいたい俺、島に戻る気ないし。そんな小さなこと気にしてたら、世界を相手にできないだろ」

「世界か。すごいじゃん。そういう野望持ってる人ってすごく好き。でも、安藤って、勉強とサッカーしかできないよね。そんなんで大丈夫？」

「しか、ってなんだ？　スキューバだなんだって言って何の努力もせずに、夜遊びして朝帰りばかりしてる女子大生にそういう言い方はされたくないね。俺の努力は並大抵のもんじゃないぞ。杉下はじゃあ、何ができるってんだよ」

「たいしたことは何もできない。だから別に、安藤を否定してるわけじゃない。勉強やサッカーができることはすごいと思うし、安藤なら大きな会社に入って世界を相手に活躍するって夢も叶うんだろうな、って思うよ。でもそれだけで、世界でやっていけるの？　日本でならわたしは確実に安藤に負けそうだけど、無人島や僻地《へきち》では逆転できそうな気がするな」

「なんで、俺がそんな僻地に行かなきゃいけないんだ？　左遷か？　そんなヘマは絶対にしない」

「なんか、よくわかんない」

杉下が西崎を見た。こういうときこそきゅうりを食えばいいのに、杉下と言い合っているうちに、いいネタがかなり減っている。

「世界、の捉え方だな。安藤の言う世界は、アメリカとかイギリスとか、お子様ランチの旗になってるような先進国のことなのさ。まあ、実際に安藤クンはそういうところで活躍するんだろうからいいけどね」

俺の人生そのものをバカにされたようで、無性に腹が立った。のこぎりが使えなかったくらいでどうしてこんな言い方をされなければならないのか。作家になると言いながら就職活動もせずにダラダラと過ごしているようなヤツに、そんな権利はないはずだ。

音を立てて、湯飲みを置く。だが、西崎は気にもとめずに、ひょうひょうと続けた。

「それから、杉下の朝帰りはバイトのため。水商売じゃない、からだを使った重労働。スキューバはバイトの延長。親に負担かけないようにがんばってんだよ、ノゾミちゃんは――って、よく知ってるでしょ。杉下とじいさんは将棋友だち、じいさんと俺は茶飲み友だちだからさ、こうなる前から杉下のことはいろいろ知ってんの。ちなみにこのアパートは大工だったじいさんの父親が建てたんだけど、戦争中も母親と二人で守ったりしたわけ。それから結婚して、子どもには恵まれなかったけど、ここの住人が子どもみたいなもんだったって。まあここには、じいさんの人生がびっしりと詰まってるわけだ。ばあさんは十年前に死んだけど、じいさんとしては年取ったからって売るわけにはいかないんだよ。なあ、杉下」

「そうそう。西崎さんも知ってたんだ」

「社交的なもんでね。まあ、俺は帰る家もないし、ここが好きだからさ、杉下みたいに食事を届けたりは難しいけど、ちょっとくらいならじいさんの面倒みるから、がんばってもらいたいわけ。そういうことだから、仲良くしようよ安藤クン。俺は締め切りが近いからもう帰るけど、二人になったら謝っといたら」

西崎は最後に中トロをつまんで帰っていった。

むかつく気持ちは変わらなかったが、確かに自分が反省するべき点はある、という気もして、杉下には謝ってみた。杉下は自分も言い過ぎたと謝ると、へろっとした顔をして話題を変えた。

「ところで、将棋しない？」

これまでの人生のどこかで登場してもよさそうだった娯楽を、俺は杉下から教わることになった。

打倒、杉下——。駒の動かし方さえわかれば、杉下などすぐに打ち負かせる、と思っていたが、まったく歯が立たなかった。西崎には「とんだところにライバルがいたね」と言われたが、あいつの言葉はだんだん聞き流せるようになってきた。

それよりも杉下だ。俺にレクチャーしているつもりなのか、「穴熊《あなぐま》」「美濃囲《みのがこ》い」など、戦法を口にしながら駒を動かしていく。それが、どうにも屈辱的で、必死で将棋盤を睨《にら》み付け、考えながら駒を動かしたが、杉下はどうでもいいような世間話をしながら、すぐに次の手を返してきた。

杉下に誘われて始めたことは、他にもある。

「西崎さん、新作送ったけど、また一次落ちしたんだって」

そんなくだらない話ばかり。その延長だった。

「安藤、興味があったら一緒にスキューバダイビングしない？」

そんなヒマも金もない。不定期に研究室にこもらなければならないため、バイトはしていなかった。生活には困らないが、遊ぶ余裕はない。だいたい、杉下は勤労女子大生ではなかったのか。人に謝罪までさせながら、結局遊ぶことしか考えていないではないか。時間が合えば、と曖昧《あいまい》に返事をしたにもかかわらず、対局に負けたやけ酒を飲んでいるうちに、清掃会社のアルバイトの面接を受けることになっていた。

スキューバダイビングはどこにいってしまったのだろう。

バイトは即採用。登録制で高給なのがありがたい。まずは、清掃会社の通常業務に何度か入った。受け渡し前の新築マンションや深夜のオフィスビルの掃除だ。バイトの登録者総動員で五十階建てマンションの各部屋を磨き上げたこともある。その最上階の部屋のリビングを杉下と二人で磨いていたときだ。俺の二倍の速さでワックスがけができる杉下がぼんやりと窓辺に立っていた。

「もしかして、高所恐怖症で手が動かないのか？」

「ううん。こんなところに住めたらいいな、って。高いところが好きだから。このバイト始めたのも、ホントはビルの窓掃除がしたかったからなんだけど、採用されたあとに女の子はダメって言われたんだよね。かなりねばったら体重五十キロ以上になったら一回だけさせてやるって言われたけど、食べても食べても太んなくて。もうあきらめた」

「そんなに窓掃除がしたいのか？」

「何にも囲まれてないところの方が、高いところにいるって実感できそうだから」

バカと煙は高いところに上りたがる。つい、そう言ってからかってしまったせいで、杉下がそこまで高いところにこだわる理由は聞けずじまいだった。

スキューバダイビングのライセンスは、週末二回、計四日で取れた。

受講料は七割、清掃会社が負担してくれた。そして、翌週には東京湾の清掃作業にかり出された。そういうことだったのか。すっかり騙されたような気分だったが、夏には沖縄の海に潜ろう、と珊瑚《さんご》の保全団体にもボランティア登録することになった。だが、実際に参加できるかどうかは難しかった。

就職活動が始まったからだ。化学関連の会社からいくつか声をかけられたが、世界を相手にするのは、やはり総合商社しかない、とそれ一本に絞り込んだ。

「ボランティアとか、こういうの履歴書に書いておくといいんじゃない？　安藤の行きたい会社も支援してるみたいだし」

杉下にそう言われ、履歴書の「その他」の欄についでのように書いてみると、面接ではそのことばかり訊かれ、驚いた。マイナス要素になってしまいそうな地元の島のことや、東京湾の清掃作業のことを交えながら、海洋環境問題についておおいに語った。

その会社がM商事、第一志望の会社だった。営業部だが、理系枠での採用だったため、内定を取れたのは自分の実力であるとは思ったが、杉下のおかげも数パーセントはあるだろう。

お礼に、奮発して沖縄旅行に誘った。まともなスキューバダイビングを一度くらい楽しんでみてもいいだろう。持ちかけたときは手放しで喜んでいたのに、数日後、それなら素敵な出会いを求めてみようか、と言われた。

「安藤が内定もらった会社の人で、珊瑚のボランティアの会員の人がいるんだけど、今度プライベートで石垣島に行くって、ブログに書いてたから、それに合わせて行ってみようよ。趣味は将棋。なんだか、仲良くなれそうじゃない？」

それが野口貴弘だ。まさに「素敵な出会い」だった。人生において初めて、目標としたい理想の人物に出会えたのだから。

これは確実に杉下のおかげだ。

アルバイト最後の仕事は、高層ビルの窓掃除を選んだ。定員二名のところを親しくなったヤツと申し込み、当日、無断欠勤してもらった。杉下には臨時でフロアの仕事が入ったといい、二人で夜明け前のオフィスビルへと向かった。

杉下をゴンドラに乗せてやるためだ。念のため、杉下にはダイビング用のウエイトベルトを巻かせ、五十キロを超えるようにしてやった。

ゴンドラに乗り込み、夜明けを迎える。東の空から徐々に広がる白い光の帯が、地上に漂う霞を溶かしていき、視界が広がっていった。目をこらせば、東京湾の向こう、遥か遠い水平線まで見渡すことができる。

杉下は足場のおぼつかなさを怖がりもせず、外側を向いて真っすぐ立ち、視線を遠くに向けていた。

「やっぱり、景色が全然違う。わたしが住んでた島は、瀬戸内海にあるから、海岸から遠くを見ると視界にぽこぽこいろんな島が入ってくるの。海っていうより、川って感じ。下手したらお城の外堀。広いとか果てしないというよりは、むしろ閉塞感。でも、島の一番高いところに上ると、海に浮かんでいる島を見下ろしながら、遠くに水平線を見ることができるのね。ちゃんと自分が今いる場所を見届けていられる気がするの。ああ、わたしの足元はちゃんと世界の果てまでつながってる、そんな感じ。生きていくエネルギーだよね。ホントにありがとう」

それなら、世界の果ての一番高いところに立ってみたくはないか、と言ってみたくなったが、突然、強風にあおられた。杉下はからだをぐらつかせたが、バランスを取り戻すと、再び遠くに視線を向けた。だが、片手は俺の作業着の裾をしっかりと握りしめている。言わなくてよかった。言えば、杉下は世界の果てに行く方法を考えるだろう。そして、一人で行ってしまうはずだ。この手を外して。


会社の寮へ移るため、杉下と西崎に見送られ、「野バラ荘」を出た。

最後の晩は、俺の「お別れ会」と称し、三人で飲み明かした。

「安藤の人生に幸あれ！」西崎が音頭を取り、三人で何度グラスを合わせただろう。

「今日で解散！」酔っぱらった杉下は、何度この言葉を繰り返しただろう。

「ああ、解散だ！」西崎も、その都度合いの手を入れた。

これからも、時間があればここを訪れるつもりでいた俺は、大袈裟だな、と思ったが、三人の中に一人でも社会人がいると、空気はガラリと変わってしまうのだろう。学生時代は「人生の夏休み」とたとえられるが、確かに子どもの頃、八月三十一日はこんな気分だったかもしれない。

だけど、寂しい、とはまったく感じなかった。自分の能力を試せることが楽しみで仕方なかった。誰よりも出世してやるのだ、と意気込んで、次のステージへと向かった。

同期のヤツらに、安藤は野口さんのコネで入ったのか、と訊かれたことが何度もある。自分の実力で入ったとわざわざ言うのも癪《しゃく》にさわるので、内定が決まったあとに、たまたま旅行先で野口さんと出会ったのだ、と答えることにしていた。

だが、人気の高いプロジェクト課に配属されたのは、野口さんのおかげだ。

努力すれば人の上に立てる、と思っていたが、同期入社のヤツらはみな、幼少期から努力を重ねてきたヤツばかりだった。だが、そいつらの一歩先を行くために、入社前に上司と親しくなっておく、など考えてもいなかったことだ。

結果的にそうなっただけ。正面突破でない方法はすべて姑息《こそく》な手段だと思っていたが、目標に到達するには様々なルートがあるようだ。そのルートをどれだけ思いつけるかで、結果もずいぶん変わってくるのだろう。

正面突破できると思っているうちは、まだ甘い、ということか。

仕事の面だけではなく、野口さんはよく自宅に招待してくれたし、政治家の密談が行われそうな料亭や、星がついたレストランに連れていってくれたりもした。そのうえ、将棋盤を挟むときは、対等な立場でいよう、とまで言ってくれた。

野口さんから目をかけてもらえる俺を、周りのヤツらは素直にうらやましがった。

野口さんは俺だけでなく、新入社員みなの、あこがれの上司だったのだ。

仕事では、入社して現在に至るまで三ヶ国に赴任《ふにん》し、いずれの場所でもプロジェクトを成功させ、同期と比べ頭二つ分抜きん出た地位を得ている。プライベートでは若く美しい妻との満たされた生活がある。おまけに実家は資産家。だがそれに頼らず、自分の実力で勝負しているところがまた、すばらしい。

まさに、島にいた頃の俺が思い描いていた理想像だった。――島にいた頃の、だ。

野口さんと深く関わっていくにつれて、俺はこうなりたいのか？　と徐々に疑問を持つようになった。野口さんの内面からにじみ出る貪欲《どんよく》さが、なんとなく滑稽に見え出したのだ。

プロジェクトの成功はあんた一人の力じゃない。役割分担しているにもかかわらず、頼りになる上司を装い、他人の仕事に口を挟んでは、成功したのはそのおかげだと思い込んでいる。そうやって、部下の手柄まで自分のものにして、出世したいか。

お遊びの将棋でも、負けそうになると休戦に持ち込むが、その間に杉下に相談していることに、こちらが気付いていないとでも思っているのか。

かけっこで一番になりたい子どもが、両手を振り回しながら走っているようだった。そこまでして突き進んだ先には、何があるというのだろう。

野口さんを見る俺の目は、西崎のようになっていたのかもしれない。仕事でもプライベートでも追いつめられていた時期だ。当然、癪にさわっただろう。頼りになる上司を装いながら、将棋盤を挟んでこんなことを言ってきた。

「安藤には期待しているが、俺を一度も打ち負かせられないようじゃ、ダメだな。ところで、おまえ××ってところ、知ってるか？」

「いえ、知りません。ニュアンス的に中東あたりかとは思うのですが」

「そのあたりだよ。そこに世界的規模の太陽光発電所を作る計画が持ちあがっていて、まだうちが受注することになるかどうかはわからないが、関係部署から一人ずつ送り込むことになったんだ。——どうだ、安藤。五番勝負をして、俺に一度も勝てなかったら、電気もガスも通ってないようなところに修業に出てみるか」

職場の人事をプライベートな将棋で決めるのか、とあきれたが、数人あがっている候補の中に俺も入っていて、誰が行ってもいい状態であるのだろう。候補にあげたのは、おそらく野口さんだ。

だが、こういうルートもありかもしれない。そろそろ杉下を打ち負かしたい頃ではあるし、逆に、打ち負かされても、その代償が世界の果てへの切符なら、とても愉快なことではないか。

俺は勝負を受けることにした。

野口さん相手の対局の四敗後、年末に一度、杉下を直接打ち負かしたことは嬉しい誤算だったが、あいつはきっと、打開策を考えるだろう。同じ局面になるよう、野口さんを誘導してある。最終戦はその勝負だ。

今夜、結果が出る。それも、杉下の前で。どこの国にあるかも知らないようなところへの赴任を、あいつはうらやましがるだろうか。黙ってシャツの裾に手を伸ばしてきたら、一緒に連れていってやってもいい。


しかし、今日ここを訪れた名目は、奈央子さんを励ますためだ。

流産が原因で、精神的に不安定になった奈央子さんを元気づけるために、有名レストランから出張サービスに来てもらおう、と提案したのは杉下だ。それを野口さんは快く引き受けた——のだろうか。

奈央子さんの不倫の噂が流れ、野口さんは奈央子さんをマンションに監禁するようになった。ドアの外に取り付けられたチェーンは、野口さん自身を表しているのではないかと思う。積み重ねてきたものを守りたいのだ。野口さんがあの部屋に閉じこめているのは、自分のプライドなのではないか。

その気持ちはわからないでもない。

野口さんには七時前に来いと言われていたが、今日の対局がどちらに転びそうか様子を探りたいのと、できれば、食事前に結果が出せることを期待したのとで、六時過ぎにはマンションに到着することにした。

野口さんは駐車場を二台分契約しているため、車で訪れた際は、住人用の駐車場に入れさせてもらうことになっている。そこから野口さんに電話をかけると、かなりあわてた様子で最上階のラウンジで待てと言われた。

杉下もついに打開策を見つけられなかったか。

猶予《ゆうよ》はあと一時間弱、どうにかしなけりゃ世界の果てが遠のくぞ、杉下。

駐車場から外に出て、エントランスにまわった。駐車場からマンションに直通するドアはホテルの部屋のようなつくりで、内側からは鍵がなくとも出ることができるが、外側からは鍵が必要になる。

エントランスで、野口さんとラウンジで待ち合わせをしていることを告げると、受付嬢は俺の顔を覚えていたのか、野口さんの部屋に連絡を入れずにそのまま通してくれた。

エレベーターで最上階に向かう。が、降りたところで車に携帯電話を忘れたことに気が付いた。再びエレベーターで一階に下り、そのまま駐車場への直通ドアから出た。ドアを開放したまま電話を取りに行き、再びそこから入ると、エレベーターに向かう——が、思いがけないヤツに出くわした。

西崎だ。両手で赤いバラの花を抱えている。

「久しぶり、安藤クン。時間厳守はいいけれど、ちょっと早すぎるんじゃないか？」

「なんで、西崎さんが？」

「俺はバイトだよ。これを野口家に届ける」

西崎はバラの花束を片手に持ち替えた。黒いエプロンをしている。

「花屋か。似合うような似合わないような、でも、あんたもついに働く気になったんだな」

「大切なものを守るためにね」

「それにしても、すごい偶然だな。杉下が注文したのか？」

「いや、野口夫人だ。いろいろ縁があってね。——ところで、安藤。すごいことがわかったぞ。以前、杉下が言ってた、究極の愛とは罪の共有だ、という話、あれは実話だ。その相手におまえも今日会えるから楽しみにしておけ。わりといいヤツだ」

言われたことがいまいち理解できないまま、四十八階に到着し、西崎はいつものひょうひょうとした様子で降りていった。そのまま最上階に向かう。

なんだ、この疎外感は。ここで西崎に出くわすなど、偶然であるはずがない。杉下と二人で何かたくらんでいるに違いない。それも野口家で。なのに、どうして俺は何も知らされていないのか。

それに、杉下に男がいる？　そんな話、聞いたことがない。そのうえ、そいつもここに来る？　いったいどうなっているんだ。

最上階に到着し、ドアが開いたが、降りずに四十八階のボタンを押した。

野口家のドアは閉ざされている。この中で俺の知らない何が起こっているのだろう。インターフォンに指を伸ばしたが——押すのをやめた。

代わりにチェーンをかける。

最上階に上がり、ラウンジの窓辺の席でコーヒーを注文した。地上二百十メートル、どんなに高い場所にいても、窓越しに見る景色は全体のほんの一部だけだ。

野口さんと俺は、とてもよく似ているのかもしれない。

——しまった、もう七時を過ぎているじゃないか。

ドアのチェーンは外れていた。

頃合いをみて、俺が開けてやろうと思っていたのに、西崎はどうやって出たのだろう。野口さんは見ず知らずの人間が、ドアの外側に付けられたチェーンで閉じこめられている様を見て、気まずい思いをしただろうか。それで、チェーンが取り外されることになればいいのだが。

杉下が開けたのだろうか。てっきり、早めに呼ばれて、あの奥の部屋で攻略法を考えさせられているものだとばかり思っていたが、俺と同じ時間に招待されていたということも、考えられないわけではない。

七時を過ぎているし、開けたのは出張サービスの店員かもしれない。

インターフォンを鳴らすと、杉下が出てきた。

ひどくあわてた様子で「中に入らないで」と言う。野口さんにそう言ってこいと頼まれたのか。まったく、あきれたものだ。

「もういいから。負けてやってもいいし、むしろそうなった方がありがたいから、今から教える手を杉下が思いついたことにして、こっそり野口さんに教えてきてほしい」

「……そうなった方がありがたいって、どういうこと？」

「それは、あとでのお楽しみ」

「今言って！」

杉下が声を張り上げた。こんな杉下を見るのは初めてだ。何をそんなにムキになっているのだろう。そこに、エレベーターの方から、制服を着た警察官がやってきた。コックみたいな姿の男が中から出てきて、落ち着いた様子で誘導している。杉下はそいつの後ろに隠れるように立ち、白いユニホームの裾をギュッと握りしめている。

何が起こったのか、知らないのは俺だけだった。

十年後

例えば、あのとき――。十年経っても、時折そんなことを思う。

エレベーターで会ったにもかかわらず、奈央子さんの不倫相手が西崎で、あいつが奈央子さんを連れ出しに行こうとしているなど、思いもしなかった。社内では、奈央子さんの相手はきれいな男だとさんざん噂されていたのにだ。田舎の島ではあるまいし、東京にはきれいな男など掃いて捨てるほどいるのだから、そのときは気付かなくとも、エレベーターの中では気付くべきだったのではないか。

そうしたら、どうしただろう。バカなことはやめておけ、と西崎を説得しただろうか。あいつが俺の言うことをきかないにしても、一緒についていっていれば最悪の事態は免れたかもしれない。

最悪の事態——。西崎の供述では、玄関に立っている西崎を野口さんがいきなり殴りつけてきたとなっている。そのとき、あいつは後ろ手でドアを開け、逃げようとしなかったのだろうか。

逃げ道——。野口さんを燭台で殴りつけた西崎は、杉下に見られてしまったから逃げるのをあきらめた、と言っていたが、あの二人ならその場で話を合わせて一緒に逃げることができたはずだ。

どちらもできなかったのは、チェーンがかけられていたからだ。

それなら、どうして俺に連絡しなかった。

杉下も西崎も俺がラウンジにいたことはわかっていたはずだ。

いや、おそらく、チェーンをかけたのが俺だということを西崎は気付いていたのだ。そして、俺が野口さんに荷担していると思ったのだろう。

だが、西崎は警察にチェーンのことは何も言わなかった。

西崎だけではない。そのあとに来た、出張サービスの成瀬というヤツは、鍵は開いていたと証言していた。杉下とは田舎の同級生でクラス会で再会し、店の紹介はしたが、それ以降、交流はなかったとも。だが、それは本当なのだろうか。

エレベーターで西崎は、杉下が言ってた罪の共有という話は実話だと言い、その相手におまえも会えると言った。それは、成瀬のことではないのか。わりといいヤツだ——西崎も成瀬と面識があるということだ。

あいつらは三人で何か計画を立てていたのではないか。

しかし、西崎も杉下も、俺が何を訊いても答えようとはしてくれなかった。自分自身、あいつらにも警察にも、チェーンのことを言えなかったという負い目があり、深く問いつめることもできなかった。自分が事件に関わっている、と周りから思われるのが、怖かったのだ。

だが、日が経つにつれて、ボロアパートで酒を飲みながら、くだらない話で盛り上がった日々が無性に恋しくなった。

俺もあいつらに巻き込まれたかった。

親戚のつてを頼り、名のある弁護士を紹介してもらい、西崎の弁護人になってもらうように頼んだ。西崎は余計なことはしなくていい、と言ったが、ごり押しすると、「おまえの経歴にキズがつかない範囲でやってくれ」と言われた。

他に西崎のためにできることはないか。そう考えて、改めて西崎のことを何も知らなかったことに気付いた。あいつのことを知る手がかりが何かないだろうか。

西崎の書いた小説、「灼熱バード」の続きを読むことにした。

原稿を読み、西崎の実家を訪れた。

西崎、おまえはトリだったんだな。


お子様ランチの旗に一番ありがちな国で五年過ごし、帰国した。

もうないかもしれない。ダメもとで訪れてみた「野バラ荘」は、まだあった。大家のじいさんも健在だった。階段下でのこぎりを挽《ひ》いていたじいさんは、俺を見ると「安藤くん、元気かい」と首にかけていたタオルで、はげ上がった頭の汗をぬぐいながら笑いかけてきた。九十過ぎたじいさんが、十年以上前に住んでいた愛想の悪い学生のことを憶えていてくれたことが嬉しかった。「何をしているのか」と訊くと「新しい看板を作っているのだ」と言われ、いつかのことを思い出し、手伝うことにした。あのときの台風はすごかったな、という話をしながら、四年間住んでいたのに、俺はじいさんとほとんど話したことがなかったのを思い出した。

じいさんに愛想良くしても何の利点もない。俺はそういう人間だった。事件のあと、拘置所の西崎に荷物を届けるために何度かここを訪れたことがあったが、そのときも特に、じいさんに挨拶をしようとは思わなかった。

じいさんは西崎のことを心配していた。杉下のことも心配していた。

しかし、じいさんを安心させてやれるような報告をすることはできず、西崎は作家を目指していたという思い出話のついでに、「灼熱バード」という話を知っているか、と訊いてみた。じいさんは「知らない」と言ったが、どんな話かと訊いてくるので、簡単にあらすじを説明してやった。

「トリというのは、希美ちゃんのことかのう」

終わると同時にじいさんはそう言った。思ってもいない言葉だった。

「なんで杉下が出てくるの」

「いや、なんとなくそう思ったんだが、違うのなら、西崎くんのことかのう」

トリのように、からだじゅうに火傷《やけど》の痣があったのは西崎だ。あいつがガスコンロを点けるのを拒んでいたことがある。しかし、トースターや電気鍋は大丈夫だった。火を恐れていたのだ。

事件後、弁護士と何度も西崎の実家に足を運び、西崎を助けてほしい、と頭を下げた。母親は関わりたくないと口を閉ざしていたが、父親は西崎の幼少期に虐待があったことを認めた。母親の顔に火傷の痣はなかったから、すべて実話というわけではないようだが、トリは西崎だったのだと確信した。

「だから、奈央子さんを助け出したかったんだよな。野口さんに殴られながら、昔の記憶がよみがえってしまったんだよな。おまえはそういう病気だったんだ。だから、きちんと、精神鑑定を受けてみたらどうだ」

拘置所の面会室の窓越しに西崎にそう言うと、「文学をつまらない現実に持ち込むのはやめてくれ」と言われた。精神鑑定も拒まれた。

それでも、トリは西崎だと信じて疑わなかった。なのに、じいさんはまず、杉下を思い浮かべた。沖縄での水着姿を見るかぎり杉下のからだに痣などなかったはずだ。一緒に「灼熱バード」の感想を言い合ったときも、重苦しい雰囲気ではなかった。

杉下のことはだいたいにおいてわかっていたつもりでいたが、あいつがするのはいつも現在や未来の話ばかりで、出会う前のことは何も聞いたことがない。

杉下がトリ。

西崎がトリ。

二人に何か共通点があるとして、お互いそれを知っていたのだろうか。あいつらしかかわり合えない何か。

事件現場にいたのは、死んだ野口夫妻と、西崎と杉下。

究極の愛とは「罪の共有」だと杉下は言っていたことがある。西崎はその相手は成瀬だというようなことをほのめかしていたが、十年間、罪を共有しあっているのは、この二人なのではないか。

手が震えるというじいさんの代わりに、切った板きれに黒いペンキで「野バラ荘」と書いた。しばらく乾かしてから、二階の手すりに針金で固定する。二人が立っていた場所。

あの台風の日、おまえらとここで会ったんじゃないか。

なあ、そろそろ本当のことを教えてくれよ。

第四章

南側に面した大きな窓から、海を眺めるのが大好きだったことに気が付いたのは、そこから追い出されたあとだった。小さな島がポコポコと浮かぶ青緑色の穏やかな海を眺めるのは、わたしにとって呼吸と同じことだったのかもしれない。

だから、呼吸ができなくなってしまったわたしは、少し壊れた、のだと思う。

島で生まれ育ったわたしの人生はあの日まで、島を取り囲む海と同じくらい静かで穏やかなものだった。「お城」から追い出される日までは。

母方の祖父母が建てた海岸沿いに建つ洋館は壁も屋根も真っ白で、ひと昔前は、島に住む人たちから「白いお城」と呼ばれていた。そこの一人娘である母親は見た目の華やかさも相まって「白いお城のお姫様」と呼ばれ、島中の人たちから愛されていた、らしい。年頃になったお姫様は、父親が経営する建設会社の社員として島外からやってきた精悍《せいかん》で仕事のよくできる王子様と結婚した。その後しばらくして、病気で両親を立て続けに失ったけれど、一男一女をもうけ幸せに暮らしましたとさ、十七年間は。ついでに、お姫様の娘と息子も。

お姫様の娘であるわたしの外見は母親似だったけれど、お姫様っぽくはなかった。母親はよく「希美には華やかさが足りない。そんなんじゃ、ステキな人と出会えないわよ」と言っていたけれど、わざと地味にしていたわけじゃない。大勢の中心で笑顔を振りまいているよりも、端っこでぼんやりと過ごすのが好きだっただけ。

男の気を引くための華やかさなど、必要ない。むしろ、人として最低限の生活を送らなければならなくなったとき、一番に捨てなければならないものだ。

前兆というのは、ことが起こる前にそれを知らせる小さな出来事のことだけど、それが前兆だったと思い当たるのは、ことが起こってからだ。それも、かなりあとになってから。そういえば西の空が真っ赤に染まっていた、そういえば普段おとなしい飼い犬が何かにおびえるようにほえ続けていた、そういえばいつもより顔色が悪かったような気がする、そういえば、そういえば、そういえば——。

島はどんどん不況の波にのまれていき、会社は随分ヒマになっていたはずなのに、父親が残業で深夜をまわって帰宅する回数は昔よりも増えていた。母親が作るお世辞にもおいしいとは言えない料理に、疲れているからとあまり手をつけなくなっていた。誕生日を家族で盛大にお祝いしてあげたのに、あまり嬉しそうではなかった。

前兆に気付いていればどうにかなったとは思わないけれど、心の準備くらいはできていたはずだ。でも、それはある日突然起こった。

高校二年生の秋、天気の良い土曜日の午後だった。午前中に学校で模擬試験を受けて帰ってくると、母親が玄関ポーチの柱によりかかるように立ち、肩をふるわせ、声を出して泣いていた。やさしくて笑顔がステキなお母さん、のはずなのに。どうしたの？　と声をかけようとすると、家の中から「何やってんだよ」と弟の洋介《ようすけ》の声が聞こえ、あわてて入っていくと、玄関の半分をわたしの勉強机がふさいでいた。どうしてこんなところにあるんだろう。それも、本を立てたまま、引き出しに小物が入ったまま。

ぼんやり見ていると、見知らぬ若い男の人が大きな段ボール箱を抱えて階段から下りてきた。フタを閉じていない段ボール箱からは、小学生の頃にサンタクロースからプレゼントされたことになっているくまの縫いぐるみが顔をのぞかせていた。どうしてわたしの部屋のものが玄関に運び出されているのだろう。男の人が紺色の作業服を着ていたため、最初に思いついたのは、何か工事をするのかも、ということだった。でも、それにしては様子がおかしい。

「あんたが出て行けよ」

二階から洋介の声が響いた、と同時にドタドタと音を立て、洋介が転がり落ちてくる。洋介に駆け寄り階段を見上げると、父親がこちらを見下ろすように立っていた。

「……父さんに、何かされたの？」

「姉ちゃん、あいつ、いかれてるよ」

洋介が痛みに顔を歪《ゆが》めながら言った。父親が手を上げることなど、これまでに一度もなかった。明るくて頼りがいがあって、何でも笑いながら受け入れてくれる大好きなお父さん、のはずだった。昨夜もいつもと変わらず家族四人で食卓を囲んだ。なのに、階段から突き落とされるなんて、何が起こったというのだろう。

階段を上がると、父親が言った。

「さっさと荷物をまとめろ」

廊下には、わたしの部屋にあったものが無造作に段ボール箱に放り込まれ、うずたかく積み上げられていた。これだけのものがあの六畳間におさまっていたのか、と感心してしまうくらいに。空っぽになった部屋に入ると、女が背中を向けて立っていた。背が高く、長い髪の見知らぬ女。年は母親とわたしのあいだくらいだろうか。窓から入る潮風を受けながら、うーん、と伸びをし、振り返った。

「ごめんね、今日からここがわたしの部屋なんだって。なんだか、追い出すみたいで申し訳ないなーって思っていたんだけど、想像以上にステキだから、ありがたくもらっちゃうわね」

わたしの部屋？　この女は何を言っているのだろう。目をそらすと、窓の横に大きなドレッサーが置かれていることに気が付いた。木製フレームに百合の花の彫刻があしらわれている、ものすごく高価そうなドレッサー。この部屋に、いや、この家にとてもよく似合っている。新品だけど、まるでずっと昔からここにあったかのように思えるくらいに。ドレッサーの台の上には細長いシルバーの一輪挿しが置かれていた。そこに花を飾るのか、それとも、ドレッサーと同じメーカーのものを一緒に取り寄せて一時的にそこに置いているだけなのか。一輪挿しにも細かい彫刻が施《ほどこ》されている。黙って立っていると、父親が入ってきた。

「俺は今日からこいつと暮らす」

部屋の中には三人。わたしを冷たく突き放すような声だった。母親にも洋介にもすでに同じことを言ったのだろう、とわかるくらい、次に続いた言葉によどみはなかった。

俺は自由に生きることにした。俺の稼いだ金は全部俺が好きなように使い、俺が食いたいものを食い、俺が一緒にいたいヤツと同じ家に住む。この十七年間、俺は自分の欲望を抑え、おまえたちのために耐えてきた。だが、それは今日でおしまいだ。俺の家系は男が短命だ。五十歳を超えて生きていた者はいない。親父は四十八歳、じいさんは実に三十八歳で死んだ。祝ってくれたから知っているだろうが、俺は先月四十七歳になった。そこで人生について考え直した。人生五十年、俺の人生は長くてあと三年。それなのに、このままでいいのか。養子としてこの家に入り、傾きかけていた建設会社を立て直すため、身を粉にして働いた。もう充分じゃないのか。最後の三年くらい、好きなように生きる権利があるんじゃないのか。そのために必要なものと不要なものをわけた。自分の人生を犠牲にしてでも子どもには幸せになってほしい、と願うのが親なのかもしれないが、そんなふうにはどうがんばっても思えない。俺は自分が幸せになりたいんだ。希美や洋介がかわいくないわけじゃない。だが、おまえたちがいれば、俺は必ず何かを犠牲にすることになる。そうなる前に出て行け。

例えば、父親がこの段階で不治の病に冒されていたら、この人の言うことはもっともだ、と納得することができただろうか。大きな病気どころか風邪を引いたところすら見たことのなかったこの時点では、バカじゃないの？　としか思えなかった。父方の曾祖父は戦死、祖父は交通事故死だったと聞いている。二人とも遺伝性の病気で死んだわけじゃない。それなのに、人生あと三年などと言って自分勝手なことをしようとしているのだ。

「てめえが出て行けよ」

いつのまにか上がってきていた洋介が父親の背後から飛びつき、羽交い締めにした。でも、母親似の華奢《きゃしゃ》な洋介が現場で鍛え上げられた父親にかなうはずがない。父親はあっという間に洋介を床に押し倒すと、馬乗りになり、拳で洋介の顔を殴った。

やめて！　叫ぼうとしたが、声にならない。

「死ぬってんなら、今日死ねよ！」

唇の端から血を流しながら、洋介は渾身《こんしん》の力を込めて叫んだ。同じ場所にもう一発拳が振り下ろされた。自分の息子をこんなにもためらいなく殴れるものなのか。

「やめて！」

今度は声が出た。助けを求めるように女の方を見ると、女は何も起こっていないかのように窓の外に顔を向け、気持ちよさそうに潮風を受けていた。

「……死ねよ」

洋介が消え入るような声でつぶやいた。父親がなおも拳を振り上げる。

「やめて！」

洋介が殺される！　ドレッサーに駆け寄り、花瓶を取ると、大きく振り上げて力いっぱい叩き付けた。

燃やし尽くしたはずの記憶がよみがえってしまったのは、西崎さんの短編小説を読んでしまったからだろうか。「灼熱バード」――タイトルからすると、SFチックな内容かと思い、あのきれいな顔をした人が頭の中にどんな世界を思い浮かべているのだろうと、おもしろ半分に読み始めたら、なんだか重い展開だった。

だけど、これは誰が読んでも重く感じる小説にはなっていないと思う。言葉足らずなのか、表現の仕方が大袈裟なのか、評論家ではないからうまくは言えないけれど、普通に幸せな人が読むと、なんだかなあ、という感想を持つくらいの話じゃないかと思う。安藤のような妙に前向きな人が読むと、くだらない、と途中で投げ出してしまいそうだ。

口の中がざらつくような感触がして、始めから四分の一ぐらいで読むのをやめた。物語の空気が葬ったはずの記憶に酸素を送り、いきなりボッと燃え上がりそうな予感がしたからだ。

作中の窓辺で空を見上げる女の姿にあの女の姿が重なった。あなた知ってる？　わたしが生まれ変わったら何になりたいと望んでいるか、と振り返り、男――父親は、トリかな、と日に焼けた顔に白い歯を浮かべて答える。

あんな女がトリになりたいと思うはずがない。自由気ままに生きてきて、海の近くに住みたいなどと興味本位で流れ着いた小さな島の小金持ちをつかまえ、家族がいるのに平気な顔で家に上がり込み、わがもの顔で窓辺で風に吹かれている女。あいつは生まれ変わっても人間、強欲な女のままだ。

いっそ作中の男と女のように、父親も酷い目にあわされていればいいのに。そうして、とっとと死んでしまえばいい。めでたいことに、先月五十歳の誕生日を迎えたのだから、もういいじゃないか。

――しまった！　吹きこぼれそうになっている。あわててガスコンロの火を止めた。

「灼熱バード」を閉じると、無性に料理をしたくなり、買い置きしていた材料を全部使って肉じゃがを作ってしまった。いつもの三倍の量はある。おじいちゃんと二人でわけても、三食肉じゃがで三日はいける。そうだ、安藤と西崎さんにわけてあげよう。台風のときもおいしそうに食べてくれたし、タッパーは充分にある。

できたばかりの肉じゃがをタッパーに取り分け、まずは、一階の一番奥にあるおじいちゃんの部屋に向かった。午後三時、一局持ちかけられるかもしれないけれど、今日はいまいちそんな気分にはなれない。ドアをノックすると、西崎さんが出てきた。

「じいさん、女の子からの差し入れだ。うらやましいね」

わたしの持っている透明なタッパーを見ながら狭い玄関から出ると、ドアを押さえて、うやうやしく中へ促してくれた。

「肉じゃが、か。俺のはないの？」

こんなきれいな顔の人に涼しげな笑みを浮かべて言われたら、たとえ用意していなくても、部屋に戻ってあわてて作り出すかもしれない。もしかすると、今持っているタッパーをそのまま渡してしまうかもしれない。あの日以前のわたしなら。

誰かに愛されたいなんて思わない。愛されるための努力なんて絶対にしない。

それがいかに愚かな行為であるかということは、痛いほど身にしみている。

「西崎さんのもあるけど、おじいちゃんと将棋をすることになったら、届けるのはちょっと遅くなるかもしれない」

「いい、いい。じいさんを元気づけてやってくれ」

そう言うと、西崎さんは部屋に戻っていった。元気づける、という言葉にもしかしてと部屋に上がると、小さなちゃぶ台の脇に、きれいな和紙に包まれた有名和菓子店の大きな箱が置かれていた。

また、あの人たちが来たのか。

「いつも悪いね。よかったら、この菓子を持って帰ってくれんか」

大工仕事が大好きで、歩いて片道一時間弱かかるホームセンターに週三日通っている、八十歳過ぎの元気者のおじいちゃんが、ちゃぶ台の前で背中を丸めて座っている。

「ここを売れ、ってまた言われたの？」

開発業者がこのあたりの土地を一斉に買い上げ、「リトル東京（仮）」という名の一つの町並みの機能を備えたマンションを建てようとしている、と聞いたのは先々週、お裾分けを持ってきたときだ。完成予定図の載ったカラーパンフレットも見せてもらった。病院、ショッピングセンター、スポーツジム、レストランが併設された近未来型マンション。介護や育児のサービスもマンション内の施設で受けることができる。

地上三百メートルの夢の町。この土地を売れば、おじいちゃんは死ぬまで夢の町に住むことができる。介護も受けられるのなら、身寄りのないおじいちゃんにとって万々歳のような気もする。でも、おじいちゃんはそんなものはできればよそに作ってもらいたい、と言った。

生まれ育ち、守り続けたこの「野バラ荘」で一生を終えたい、と。

その気持ちは、わかる。大切な場所を取り戻せないのなら、いっそ燃えてなくなってしまえばいい、と念じ続けたあの気持ち。あの日のことを思い出してしまったのは、「灼熱バード」のせいだけではない。

「脅されたりとかは、してないよね」

「まだ、渋っているのはうちだけじゃないようだからな。この先の、『みどりビル』、あそこの持ち主も反対しているらしい。有名な資産家らしいから、あそこが渋っているうちは手荒なことはしてこんとは思うけど、どうなるかのう」

「ここを守る作戦を思いつくためにも、一局お相手お願いします」

「作戦？」

「がんばってみようよ。高校のときの先生が言ってた。将棋をしていれば将来何かの役に立つ、って。お金持ちと仲良くなったりとか、まあ、何か手はあるでしょ」

そんなことを真に受けていたわけではないけれど、将棋に興味を持たなければ、成瀬くんとほんの少しでも仲良くなれることはなかったんじゃないかと思う。彼のおかげであの地獄のような記憶を焼き消すことができたと思っていたのに、それも二年ほどしか続かなかったようだ。


親父を警察に訴えてやる！　洋介は何度もそう繰り返したけれど、彼の顔から痣《あざ》が消えたあとでは、父親が何罪にあたるのかわからなかった。まず、父親と母親は離婚をしていない。生活のためのお金は養育費として、母名義の口座に月二十万円振り込まれることにもなっている。追い出されはしたけれど、住む場所は確保してくれていた。

島で一番高い山、青景山の山頂に続く遊歩道の途中、少し脇道にそれたところにある古い一軒家。

遠足で青景山に登る小学生たちは、蔦《つた》のからまったあばら屋を指さして「幽霊屋敷」と呼んでいた。わたしも洋介もそう呼んでいた。幽霊が出るという噂も信じていた。まさか、そこに自分たちが住むことになるとは夢にも思わずに。

「あいつらがここに住めばいいんだ。だって、あの家は母さんの親が建てたんだろ。じゃあ、母さんのもんじゃないか」

わたしもそれは思った。だけど、おじいちゃんが死んだあと、会社も家も名義は父親のものに変更されたらしい。父親がこっそりそうやったわけじゃない。おじいちゃんの遺言に母親が従った、それだけだ。二人ともまさかこんなことになるとは思ってもいなかったのだろう。離婚しない、というのは一番卑怯なやり方だった。だけど、一番酷い仕打ちが「幽霊屋敷」に住まわせることなら、地獄というには大袈裟かもしれない。人口の少ない島でも、母子家庭はめずらしくはなかったし、月二十万円よりも少ない収入で生活している人もたくさんいたはずだ。

ただ、そういう家庭の母親は必死で働いていたように思う。

徹夜で本を読んだ明け方、空気を入れ換えようと窓を開けると、新聞配達をしているおばさんと目が合った。どこかで見たことがある、と思ったら、少し前に家族で食事に行った料亭『さざなみ』で給仕をしてくれた人だった。まだ小学校にあがる前の子どもがいるのに、ご主人を病気で亡くしたんですって。その人の姿が見えなくなる前に母親が気の毒そうにつぶやき、聞こえやしなかっただろうかとドキドキしたので憶えていた。そのときは、おばさんに対し、朝から晩まで大変だなくらいにしか思わなかったけれど、事情が変われば、町ですれ違っても、えらいな、と心から尊敬するようになった。

あの人の半分でも、母親が見習ってくれたら……。

家を追い出され、あばら屋に一歩足を踏み入れた途端、母親は倒れてしまった。お姫様にはショックが大きすぎたのだろう。古いけれど四部屋あったため、それぞれの個室とリビングにわけることにし、まずは洋介と一緒に母親の部屋から掃除をして寝かしつけた。

それがよくなかったのかもしれない。辛くてもこれが現実なのだ、恨むなら夫を恨め、と力の抜けた手に雑巾を握らせて、寝る場所くらいは自分で用意させるべきだったのだ。お姫様は床に臥《ふ》せったまま、いつまでたっても起き上がろうとしなかった。何をするわけでもなく、ぼんやりと窓辺を見つめ、はらはらと涙を流すだけの毎日。おかげで料理がまったくできなかったわたしの腕はひと月足らずでぐんぐん上がり、おまけに軽い大工作業までできるようになった。

洋介と一緒に、家の壁にペンキを塗り、屋根の修理をし、庭の草刈りをすると、こういうのもありかもしれない、と思えるくらいになっていた。父親から振り込まれるお金を使うことには何の抵抗もなく、次の振り込みの日には、少し贅沢をして、すき焼きを食べよう、と計画していた。

ところが次の振り込み日、学校から帰り、母親のベッドの引き出しから通帳とカードを取り出してお金をおろしに行くと、残高不足、と表示が出た。まだ振り込まれていないのだろうか、でも、三万円なら先月の残高で足りるはずだ。虚《むな》しい音とともに機械の口からはき出された通帳を見て目を疑った。今日の日付で振り込まれた二十万円も先月の残高の四万円も、全部今日引き出されている。

あわてて家に戻り、母親に確認すると、とんでもない答えが返ってきた。

「だって、お化粧品がなくなっちゃったんだもん」

確かに一日中ベッドで過ごしているのに、毎日必ず化粧はしていた。母親はいつも朝食前には化粧をしていたため、すっぴんを見たことの方が少ないくらいだったから、何の違和感も持たなかったけれど、改めて、それはタダではできないことに気付く。お城から運んできた母親の嫁入り道具である桐のドレッサーの上には、真新しい化粧品のビンが七本並んでいた。いつも頼んでいる店に電話をし、配達してもらったらしい。一本ずつ手に取りボトルに書かれた値段を確認し、五万円と書かれた美容液を見てめまいを起こしそうになった。

「なんでこんな高いの買うの？」

「ずっとこれを使ってるんだもん、急に変えると、お肌によくないわ」

「だからって、化粧品に全部お金を使ってどうするの。お米も買えないのに、一ヶ月、何を食べて生活するのよ」

「食べるものなんて、誰かがいつも持ってきてくれるじゃない。頼んでもいないのに……」

それは、小さいながらも建設会社の社長の家だからだ。釣りが趣味の社員が魚を持ってきてくれたり、実家が農家の社員が野菜を持ってきてくれたり、お歳暮やお中元でハムやデザートセットをもらったりするのは、お城に住んでいるからであって、追い出されたお姫様のためにわざわざ「幽霊屋敷」まで持ってきてくれる人などいない。

地元民であるのは母親の方のはずなのに、母の友人という人が家を訪ねてきたことはお城に住んでいた頃からほとんどなかったことを、今さらのように思い知った。お姫様を取り囲んでいた人たちは誰だったのだろう。

「この美容液、まだ開けてないんでしょ。商店街の『上田サロン』だよね。わたし、これ返してくる」

「やめて！」

母親がベッドから飛び降りて、わたしの手から美容液のボトルをひったくった。

「醜くなったら、晋《すすむ》さんに嫌われるじゃない！」

「嫌われるも何も、追い出されたんだよ、わたしたち」

「それは、あんたたちが晋さんにとって必要ないって判断されたからでしょ。子どもだけ追い出すわけにはいかないから、わたしも一緒に出て行かされたのよ」

「じゃあ、あの女は何なの？」

「うるさい！　うるさい！　うるさい！　あの女は家政婦みたいなものよ。だから、離婚だってしていないでしょ。とにかく、あんたたちがこの島からいなくなれば、わたしはまたあの家に呼び戻してもらえるの。そのときに醜い顔でいるわけにはいかないのよ」

母親は何かにとりつかれたようにビンの蓋を開けると、びちゃびちゃと手のひらに美容液を出し、化粧をした顔の上から塗りたくった。きれいにお化粧をしていた顔が醜く崩れていくのも構わずに、いつまでも、いつまでも――。

地獄の始まりはあの日だったんじゃないだろうか。

おじいちゃんと一局終えたあと、西崎さんの部屋に肉じゃがのタッパーを届けると、上がっていかないか、と言われた。男の人の部屋に一人でのこのこと上がるなんて、と思ったけれど、西崎さんなら大丈夫そうな気がした。この人なら彼女が五人くらいいてもおかしくない。

上がると、「せっかくだから一緒に食べよう」と、冷蔵庫から紙パックの白ワインを出されたけれど、グラスもお箸もお皿も一人分しかないらしく、一度、自分の部屋に戻って必要なものを持ってきた。学校に行けばおしゃべりをしたり、お茶を飲んだりする程度の友だちはいるけれど、アパートまで遊びに来るような友だちはいない。家庭事情にあわせて態度を変える友だちなんて、面倒だから。それでも、部屋に食器が一人分しかないということはなかった。夏休みに洋介が遊びに来たから買ったのだけど、わたしの部屋以上に西崎さんのところは訪問者が少ないのだろうか。友だちも、家族もいない?

でも、台風の日の晩はとても社交的だったような気がする。そういえば、二人で肉じゃがなんか食べているけれど、まともに話すのなんて、このあいだ原稿を渡されたのとあわせて、まだ、三回目だ。なのに、まるで——親戚のお兄さん? のように感じるのは、どうしてだろう。

「西崎さん、肉ばっかり食べてるけど、じゃがいも、残さないでよ」

そう言って気が付いた。色白で華奢な感じが、洋介に似ているんだ。顔は断然西崎さんの方がきれいだけど、背の高さとか髪型とか、後ろ姿は同じに見える。

「自慢じゃないけど、こう見えて、食い物を残したことはない。でも、万が一の事態に備えて、好きなものから食うようにはしてる」

ところで、と西崎さんはいきなり話題を変えた。

「この、『野バラ荘』がなくなることをどう思う?」

西崎さんは法学部に通っている、ということから、おじいちゃんはアパートを売らずにすむ方法を西崎さんに相談したらしい。そうだ、文学部ではなく、法学部だったのだ、この人は。

「おじいちゃんが売りたくないって言ってるからには、なんとかしてあげたい、かな」

「同じだ。俺にとってここほど過ごしやすい場所はないからね。できれば、一生ここで小説を書いて生活していきたいくらいだ。今のところ、手みやげ持ってきて頭を下げて、じいさんがイヤだと言えば、おとなしく帰ってるが、そう長くはもたないんじゃないかと思う。問題はそこからどうするか、だ」

「そこに持っていかなきゃいいんじゃないかな。『みどりビル』の人も反対しているから穏便《おんびん》に進んでるんでしょ。じゃあ、ずっと反対してもらえばいいんだよね。ここより『みどりビル』の敷地の方が広いんだし。でも、あそこ何に使われてるんだろ」

「資産家が税金対策で建てたらしい。向こうの動きがわかるだけでもありがたいな」

「そうだ！　その資産家と仲良くなってみる？　電話とかして。一緒に反対し続けましょうね、って」

「逆に不審に思われないか？」

「じゃあ、偶然仲良くなる。将棋が役に立つかもしれない」

「いきなり、将棋をしましょう、って電話するのか？」

「お金持ちと出会う方法はずっと前からいろいろ考えてたんだ。主に、アラブの石油王だけど。豪華客船のパーティーに給仕として潜り込むのはどうだろう、とか。でも、それって出会ったとしても対等な立場じゃないでしょ。そうしたら、新聞でおもしろい記事を見つけて――」

　途上国に対する支援方法についてのコラムだった。日本の金持ちは支援といえば金を提供するが、欧米の金持ちは労働力を提供する、と。アフリカの砂漠に植林のボランティアとして参加した日本人の若者が、一緒に木を植え、同じ炊き出しのスープを飲んだのは、世界的に有名な食品会社の社長夫妻だったと知り、まずは驚き、そして感動した、というエピソードが書かれていた。十年以上経《た》った今でも、若者と社長夫妻との交流は、友人として家族ぐるみで続いているらしい。

「庶民とお金持ちが対等に出会うために、ボランティアに参加してみるってどうかな」

ほとんど冗談のつもりだった。おじいちゃんの大切な場所を守ってあげたい、という気持ちはあるけれど、絶対にしなければならない、という義務はないし、もし売られることになっても、あのマンションに住めるのなら、ときどき辛い気持ちになることはあるかもしれないけれど、それほど不幸なことではないんじゃないかと思う。食べ物のこと、睡眠のことを心配せずに暮らせるのが一番の幸せ、なんてことは、おじいちゃんくらいの年の人たちなら、誰でもわかっているはずだから。


学校の授業料が追い出される前と変わらず、父親名義の口座からの引き落としだったのはラッキーだった。光熱費や電話代はひと月遅れたからといっていきなり止められることはないだろうから、来月にまわすとして、問題は食費だ。わたしと洋介の手持ちを足して三千円弱、日用品も必要だし、ひと月これで食べていけるとは到底思えなかった。

「俺がおやじに頼んでくるよ」

父親に頭を下げるのは癪《しゃく》にさわるけれど、追い出したという負い目があれば一万円くらいは握らせてくれるだろう、と安易な気持ちで洋介を送り出すと、一時間後、追い出された日の腫れが引いたのと同じところに新しい痣を作って帰ってきた。

「俺を巻き込むな、だってさ」

泣き笑いのような顔で空っぽの手のひらを振る洋介にかける言葉が見つからず、なけなしの小銭を握りしめ、遊歩道の入り口にある四阿に連れていき、糖分が一番高そうなカフェオレを買って飲ませた。

海に目をやると、同じ瀬戸内海のはずなのに、お城の窓から見えるのとは少し違って見えることに気が付いた。海抜ほぼ零メートルのところに立つお城の二階の窓から見える海は、小さな島がポコポコと水平線を遮《さえぎ》っていたけれど、ここからだと、島の向こう側に広がる海が見えた。二百メートル高いところから見るだけで、こんなにも違うのか。

お城にいる頃は、進学で島外に出ても、就職は島に戻って、ずっとここに住んでいたいな、と思っていたけれど、お城からは見えなかった水平線を見ると、あのさらに向こうまで見てみたいと思えてきた。

遠い水平線から島の海岸に視線を移動させると、視界の端にお城の屋根が入った。ずいぶん遠いところに追い出されたと思っていたのに、ここから見えるのか……。

「明日、わたしが頼みに行くよ。父さんも、まさか女の子には手を上げないでしょ。殴らくれたら、逆に慰謝料ぶんどってくるよ」

「じゃあさ、姉ちゃんも体力つけとけよ」

洋介が飲みかけの缶コーヒーを差し出してくれた。どちらかといえば、ミルクも砂糖も入っていないコーヒーが好きだったけれど、口の中に甘さが広がった分だけ、からだにエネルギーが補給されていくような気分になれた。

その勢いで、翌日、学校帰りにお城へ行くと、出てきたのはあの女だった。父親は今朝から泊まりがけで本土に出張に出ていると言われた。この女に頼まなければならないのだろうか。出直してこようか、と迷っていると、女がニコニコと笑いながら言った。

「食費、借りに来たんでしょ。昨日おとうと君が来て言ってたから知ってるの。お母さんはお金遣いが荒いんですってね。なーんにもしないくせに、金だけはバカスカ使う、って晋さん、わたしと出会った頃からずっと嘆いてたわ。あんたたちもかわいそうね。そんなお母さんとセットで追い出されて。わたしも、あんたたちには申し訳ないなーって思ってたのよ。こっそりお金を渡してあげてもいいかなあ、って思ってたくらい。でも、あんた——とんでもないことしてくれちゃったもんね」

とんでもないこと——洋介を助けるために、とっさに花瓶を手に取って振り上げると、わたしはそれを思い切りドレッサーの鏡の中心に向かって叩き付けた。鏡は大きな音を立てて崩れ落ち、洋介に向かって振り上げられた父親の手が止まった。我関せずと窓の外を向いていたはずの女は振り返ると「ヒッ」としゃくり上げるような悲鳴をあげた。

二人の顔が怒りで徐々に赤くなっていくのを見ながら、わたしは細長いナイフの刃のような形をした破片を手に取った。

「洋介、逃げて。こいつらは人じゃない。何を言っても通じない。化け物同士、仲良く暮らせばいい。出て行ってやるから、荷物をまとめているあいだ、わたしから見えないところに隠れとけ！」

破片を振り回し、父親と女を追い出したのだ。

「あれ、いくらしたと思ってるの？　食費をくれっていう前に、まず弁償でしょう。だからって、このままあんたたちに飢え死にされちゃ、こっちが一生後ろ指さされて生きてかなきゃいけないのよね。だから、こうしましょ。あんた、毎日この時間にうちに食事を取りに来なさいよ。お金は渡さない。その都度、料理を取りに来るの。ちゃんとお弁当も作ってあげるわよ。わたし料理は得意なの。だけど、あんたにも誠意を見せてもらわなきゃ。毎回、土下座して、お願いします、って言うの。それだけでいいわ。なんだか、わたしってお人好しね」

あんたに土下座をするくらいなら、死んだ方がマシ。そう言って飛び出していきたかったけれど、洋介を飢え死にさせるわけにはいかなかった。一生続くわけじゃない。そうだ、アルバイトをしよう。それまでのほんの数回だ。土下座なんてただの動作だ。歩く、走る、座る、土下座をする。

「その気になったら、さっそくやってみなさいよ。あんたたちのどっちかが来るかもって、お夕飯多めに作っておいたから。ほら、早く」

お城の玄関は大理石、女は見かけによらず家庭的なのか、砂粒ひとつ落ちていないくらいきれいに掃除されている。素足のひざやすねをつけても痛くはなさそうだ。わたしはゆるゆると腰を落として正座をし、頭を低く下げてつぶやいた。

「お願いします」

「何を?」

へ? と顔を上げると、女はこんなに愉快なことはない、と言わんばかりの笑みを浮かべていた。「ちゃんと、言いなさいよ」

「食事をわけてください」

そう言って、これ以上下げられないところまで頭を下げた。歯をくいしばらないと、涙がこぼれてきそうだった。ぐっと歯をくいしばり続けているうちに、ガリっと音が聞こえたような気がした。口の中に海の砂を押し込まれたような感覚。ぬぐい去るには、頭の中を真っ白にするしかなかった。


「杉下、珊瑚《さんご》を守らないか」

雨漏りの修理以来、安藤と西崎さんにたくさん作った料理をお裾分けするのが習慣になっていた。西崎さんの部屋にポテトサラダを届けると、いつものように上がって一緒に飲むことになり、お皿を広げているといきなり言われた。

そのためにはまず、スキューバダイビングのライセンスが必要なんだが、と。

そういえば、ビルの窓掃除したさに清掃会社でアルバイトを始めたのに、女の子はダメだと言われ、がっかりしていると、海の掃除のためにスキューバダイビングのライセンスを取ることを勧められた。補助金を出してもらえるし、おもしろそうだし、どうしようかなと迷っていたのだけれど、まさか見るからにインドア派の西崎さんから誘われるとは思わなかった。

「西崎さん、ダイビングに興味あるの？」

「俺はない。だが、お友だちになりたい人はそういうのに興味があるみたいだ」

お友だちになりたい人——「みどりビル」の持ち主の長男にあたる人が珊瑚を守るボラ

ンティアグループに所属しているらしい。

「一日中部屋に閉じこもってる西崎さんが、どこでそんな情報仕入れてきたの?」

「俺は原稿は手書きだが、パソコンが使えないわけじゃない。あそこは匿名ばかりの世界だと思ってるかもしれんが、社会的にそれなりの地位があるおかたは、本名を公開して自分の意見を述べるのがお好きなようだからね。特にボランティア活動については熱が入る。まあ、寄付なんて本当は税金対策のためだろうけどね」

西崎さんはそう言って、ネットで調べた「みどりビル」の持ち主に関する情報をプリントアウトしたものを見せてくれた。持ち主の名前は野口喜一郎《きいちろう》。年のせいなのかその人については仕事のことばかりだけど、息子についてはプライベートなこともかなり公表されていた。立派な人というのは、いろんなところに所属しているようで、ゴルフクラブ、乗馬クラブ、葉巻の会、という大人の部活のようなものから、途上国に小学校を作る、砂漠に木を植える、珊瑚を守る、といったボランティア活動まで、様々な団体名が並んでいた。

「将棋クラブがないのが残念だが、このあいだ、バイト先でダイビングのライセンスが取れる話をしていたな、と思い出してな。この珊瑚の保全団体は入会するのに推薦状がいるらしいが、バイト先も同じような活動に協賛しているんなら、ツテを頼ればいけるんじゃないか?」

「おもしろそう。なんだか、いけそうな気がしてきた。じゃあ、とりあえず、ライセンス取らなきゃ。西崎さんはどこで取るの？」

「俺は取らないよ。海、きらいだし」

「わたしだけ？」

「安藤を誘えばいいんじゃないの？　将棋もすっかりはまってるようだし、興味があれば食いついてくるさ。いっそ、この計画を安藤にも話してみたらどうだろう。あいつは頭もいいし、意外と簡単に別の方法で解決してくれるかもしれない」

「売れ、って言われてることは知ってるんだから、解決策があれば言ってくれてるよ。わたしは安藤を——巻き込みたくないな」

安藤が求めているものが何かはわからないけれど、大きな目標を持っているのは確かだと思う。そこに向かってまっしぐらな人の邪魔をするようなマネはしたくない。

「でもさ、この野口貴弘って人、世界を相手にしている会社で働いてるんだけど、安藤クンはこういうとこ目指してるんじゃないの？」

「じゃあ、お友だち作戦は内緒のまま、安藤の役に立つように誘ってみる」

「大事にされてるね、安藤クンは。もしかして、好き？」

「ホント、西崎さんって単純。わたしは誰にも頼りたくないの。一人で強く生きていける人間になりたい――なんてね」

「杉下は充分強いと思うよ。学校は休まず、バイトにも精を出し、生命力に溢れている。たとえるなら、文学の世界が必要ないくらいにね」

どうしていきなり文学が出てくるのだろう。「灼熱バード」はどうにか最後まで読んでみたけれど、感想を言いたくなくて最後まで読まなかったことにしている。それを根に持っているんだろうか。文学の世界が必要ないわけじゃない。架空の世界に入り込むほどの心の余裕がないだけだ。本を読んでもおなかはふくらまない。目の前に本の山があっても、心は満たされない。それよりも、冷蔵庫の中に充分な食べ物があってほしい。


わたしがアルバイトをすると言ったら、洋介もすると言い出した。だけど、コンビニもない島で中学生や高校生をやとってくれるようなところは、どこにもなかった。唯一、新聞配達だけ。それでもあきがあり、明日から来てくれ、と言ってもらえたのはありがたかった。それなのに――。

「みっともないマネはやめてちょうだい。杉下家の子が新聞配達だなんて、わたしや晋さんが恥をかかされるのよ」

そう言って母親は、半狂乱になりながら断りの電話を入れた。お金にはちっとも困ってないのに自立したい年頃みたいで困ってるの、そんな言い訳をしながら。あんたがさっき食べた酢豚をどうやって手に入れてきたのか、わかっているのか。

毎回土下座をしていることは、洋介には言っていない。言えば「飢え死にした方がマシだ」と食事に手を付けなくなるはずだ。あの女はわりといい人で、わたしたちを追い出してしまったことを申し訳なく思っているようで、お金は父親にバレると怒られるから渡せないけれど、その代わり食事を受け取ってほしい、と言われたことにしていた。

それでも、最初は、あんな女の作ったものなんか、と箸を取ろうとしなかったけれど、空腹にはかなわなかったようだ。おまけに、本当にくやしいけれど女の料理はどれもこれもおいしかった。顔立ちがはっきりしていて派手な印象があったけれど、化粧もほとんどしていないし、着ているものもシンプルなものが多かった。親戚のおばさんだとしたら、わりと好きになれていたタイプかもしれない。

でも、女はドレッサーを破壊したわたしを許そうとはしなかった。毎回土下座をさせ、どうしてほしいの、誠意が感じられないわ、などとネチネチとわたしを責め立てる。そのたびにわたしの口の中には見えない砂が溢れていった。

アルバイトはできなくなったけど、次の仕送りまでの我慢《がまん》だ。カードはわたしが持っている。

地獄のようなひと月がようやく過ぎ、待ちに待った仕送りの日、学校が終わるとすぐにお金をおろし、米や野菜や肉などの食材を買い込んだ。もうあの女に土下座をしなくてもいいんだ。四阿に寄り道をして、先月の残金の小銭で甘いコーヒーを買って飲むと、空っぽになりかけていた頭の中に、エネルギーが満たされていくような気がした。口の中のざらざらも溶けてなくなった。あの女よりもおいしいものを作れるようになろう。洋介が好きなものをいっぱい作ってあげよう。

家に帰ると、リビングに知らない若い男がいた。スーツ姿でニコニコ笑っている。母親は一日中家にいたはずなのに、よそいきのワンピースを着て、テーブルを挟んで男の正面に座っていた。誰だろう？　戸口に立ったままでいると、母親が駆け寄ってきた。

「希美ちゃん、待ってたのよ。カードを勝手に持ち出しちゃダメじゃない。ママね今ステキなペンダントを見せてもらってるんだけど、どっちにしたらいいか、迷ってるの」

口の中が再びざらつき、呼吸が止まりそうになった。テーブルの上には青いビロードを貼った四角い台があり、そこにキラキラと光る石のついたペンダントがいくつも並べられていた。

「ダイヤは持ってるんだけど、こういうデザインのはないでしょ。ねえ、どっちがいいかしら。いっそ、両方いただいちゃおうかしら」

「いくらですか?」

母親の方を見ずに、男に訊いた。

「本日はカジュアルなものをお持ちいたしましたので、どれも二十万円前後と大変お求めやすい価格になっております」

「すみません、うちには今そんな余裕ないんで、帰ってもらえませんか」

「なんてことを言うの、希美ちゃん」

「いいから黙って、部屋に戻ってて」

母親は部屋には戻らず、ふくれっつらで椅子に座った。わたしを睨《にら》み付けているけれど、無視して男の方に向き直った。

「うちは毎月二十万円で家族三人生活していかなきゃいけないんです。今月は、先月分の光熱費や電話代も払わなきゃいけません。ペンダントにお金使ってる余裕なんてないんです」

男の顔から笑顔が消え、そそくさと片付けを始めた。

「そんなことなら、呼びつけないでくださいよ。このために、わざわざこんな島までやってきたのに」

「すみません……」

押し売りではなく、母親が呼びつけたのか。それも島外から。頭を下げた隣りで、母親が声をあげて泣き出した。テーブルに突っ伏し、えぐ、えぐ、と子どものようにしゃくり上げている。怒っていたはずの男はパチンとカバンを閉めると、わたしに同情するような目を向けて出て行った。

男と入れ替わるように、洋介が帰ってきた。わたしを見ながら「どうしたの？」とつぶやいた途端、母親が顔を上げた。

「洋ちゃん聞いて、希美ちゃんたらひどいのよ。ママにペンダントを買うな、って言うの」

「しょうがないじゃん。そんなもの買ってる余裕、ないんだから」

「だって、先月はお化粧品を買ったわ。だけど、ちゃんと暮らしていけたじゃない」

「それは姉ちゃんが――」

「洋介！」

洋介を制止し、母親に向き直った。

「とにかく、贅沢はあれが最後なの。お願いだから、わかってよ」

「わからないわ、わからない。希美ちゃんだってわかってくれてないじゃない。ママはきれいにしておかなきゃ、晋さんが迎えに来てくれたとき、困るのよ。ママ、あなたたちのために一緒に家を出てあげたのに、どうしてこんなひどいことをするの？」

「いいかげんにしろよ。こんなふうに無駄遣いしてたから捨てられたんだよ。料理だってあっちの方が何倍も上手いし、自分のせいだって気付けよ」

「あっちって？　料理って？　なんでそんなことがわかるのよ」

「この一ヶ月、食ってきただろーが！」

洋介が叫んだと同時に母親は気を失って倒れた。他人からものをもらうことには慣れていても、夫の愛人に施しを受けていたと知れば衝撃も大きいだろう。洋介と二人で母親をベッドに運びながら、どうこう言っても、一番かわいそうなのはこの人なのだと思った。一人で生きていく方法を誰にも教えてもらえないまま、この年まできて、いきなり捨てられてしまったのだから。

夕飯はカレーにした。大鍋にたっぷりとできたカレーを見ているだけで、心が満たされていくようだった。

「姉ちゃん、これ作りすぎだよ」

「いいじゃん、毎日食べなくても、冷凍しておけばいいんだから。それに、毎日カレーだとしても、一週間、食事のことを考えなくてもいいんだよ。何でも好きなこと考えていいんだよ」

　空っぽになった頭の中に、鮮明な映像としてデータを残していけるようになったことに気付いたのは、その後しばらくしてからだった。ほぼ同じ時期に、授業内容とは関係なく、将棋の話ばかり聞かせてくれた国語教師には、とりあえず、感謝しておくべきだろうか。


　仲良し作戦は予想以上にうまくいった。何が功を奏したのか、というとやはり、安藤が野口さんと同じ会社に内定をもらったことだろう。珊瑚の保全団体の会員になれば、そこのホームページを見ることができ、野口さんの趣味が将棋であることや、プライベートで石垣島に行くという情報を得ることはできた。ただ将棋を目の前でしていても、それに食いついてくるかどうかは別物だし、そのときだけ二、三、言葉を交わしておしまいになる可能性も高かったので、恩を売っておくことにした。

　二本目のボートからのエントリーの直前、わたしはこっそり奈央子さんのエアタンクのバルブを閉めた。砂浜からエントリーした一本目のときから、奈央子さんの動きはぎこちなく、とにかく重い機材を背負うのが精一杯という様子だったので、エントリー直前に再確認することはないかもしれない、と思っていたら、案の定、そのまま飛び込んだ。

砂浜からのエントリーと違い、ボートからのエントリーは、いきなり海のど真ん中に放り出された感がある。水温は低く、水の色も深く濃い。一人ずつ飛び込み、全員が飛び込んだことを確認してからゆっくりと、インストラクターについていきながら深度を下げていくのだけれど、奈央子さんは飛び込んだと同時にパニックを起こした。慣れた人なら、飛び込んだだけなのだから、息ができなくてもそのまま水面に顔を出してバルブをひねり、「いきなりドジっちゃったよ」などと笑いながら気を取り直せばいいことだけれど、奈央子さんにそんな余裕はなかった。水面から一メートルもないところで、頭を沈めたまま全身で水をかいていた。

エントリーの順番は女性を挟む恰好でということで、インストラクター、安藤、わたし、奈央子さん、野口さんの順番だった。

野口さんはボートの上、一番近くにいたわたしはインストラクターよりも先に、奈央子さんを支えるようにしながら水面に顔を出させ、深呼吸を数回させながら、こっそりバルブを開けた。もし見られたら「開いてなかったみたいですよ」と言えばいいだけだったけれど、誰にも気付かれなかったようだ。これであとで少し話すきっかけでもできるかな、と思いながら、大丈夫ですか？　を繰り返した。野口さんもエントリーし、奈央子さんを落ち着かせ、少しずつ深度を下げていった。

光が届かない海の底は、わたしの知らない世界。なぜこんなにも色鮮やかな生き物が存在するのだろう。ここから上がれば、別世界が待っているのではないだろうか。別世界が文明の遅れた何もないところだったら、安藤はうろたえるだろうな、でも、彼なりに前向きな答えを出すのだろうな、などと少し前を泳いでいる安藤を見ながら思っていると、いきなり透明な世界を一気ににごらせてしまうほどの砂が舞い上がった。折れた珊瑚もまざっていて、海底でたつまきでも起きたのだろうか、と思ったのだけど。

奈央子さんがパニックを起こしたのだ。もう少し人数の多いパーティーで、インストラクターが複数いれば、奈央子さんと野口さんだけが浮上すればいい。だけど、インストラクターは一人。誘導されるまま、みなで浮上した。

ボートに戻り、機材を下ろして、温かい紅茶を飲んでも、奈央子さんの震えは止まらず、二本目はあきらめて港に戻ることになった。

西崎、マンタを見てくるぞ！　どんなのだったか教えてやるから、次はマンタの話を書けよ。新人文学賞なんか、インパクト勝負だろ。辛気くさいマンタの話にすりゃ、なんでマンタなんだ？　ってちっとは選考委員に気合いいれて読んでもらえるんじゃないか？本屋に「灼熱マンタ」なんてのが置いてあったら、俺でも手に取るぞ。

そう言ってはりきって出てきたはずなのに。明らかにわたしのせいだ。がっかりした様子で機材を片付けている安藤の後ろ姿に、ごめん、と心の中でつぶやいた。でも、その穴埋めに野口さんに誘われた食事会は、安藤にとって決して悪い展開にはなっていないはずだ。

安藤を誘ってよかった。食事会の席で改めてそう思った。わたしだけだったり、わたしが女友だちと来ていたら、野口さんは食事には誘ってくれていても、付き合いはその場限りで終わっていたんじゃないかと思う。たとえ、わたしの方がたくさんボランティア活動に参加していても、将棋が強くてもだ。

男には男の役割があり、女には女の役割がある。食事をしながら、お酒を飲みながら、野口さんは何度かそういうことをほのめかすような話をした。結局のところ、自分は仕事ができる、妻に望むものを与えてやることができる、という自慢と、妻とは一度も言い争ったことがない、こんな妻をもらった自分をみながうらやましがる、というおのろけだったのだけれども。

将棋をすることになったときも、安藤が「杉下の方が強いですよ。こいつ、いろんな技知ってるから」と言ったにもかかわらず、「ここは男同士の勝負をしようじゃないか」と安藤と対局を始めた。男同士と言いながら、実は女に負けるのが悔しいだけなんじゃないの？　と思ったけれど、展開としては上々だ。

野口さんはわたしのとてもよく知っていた人に似ている。本人の予測ではそろそろお迎えが来る頃なのに、いまだピンピンしている父親に。それなら、奈央子さんはどちらのタイプだろう。藍色のインド綿のキャミソールドレスに、小さなダイヤのペンダント。そんなに派手な恰好ではないけれど、華奢で色の白いこの人にとても似合っている。南国のリゾートホテルにもなじんでいる。わたしはどうだろう？　白地に紺色の花模様のワンピースに、サファイア——あの人の誕生石がついたペンダント。

「なんで、杉下、そんな服持ってきてんだよ。化粧までしちゃってさ」

お迎え時間前に着替えて出てきたわたしを見て、安藤は驚いていたけれど、お友だち作戦がなかったとしても、旅行なのだからこれくらいの服は持ってくるし、化粧はアパートを出るときからしていた。やはり、こんな恰好はわたしには似合っていないのかもしれない。よく似た顔のあの人が選んで送ってきたものなのに。

あの人にあってわたしにない華やかさを、奈央子さんは充分に醸し出している。気が付くと、野口さんから半歩下がって腕に手を添えているようなところも、あの人にそっくりだ。奈央子さんはきっと、野口さんがいなければ生きていけないのだろうな。

食事会の初めも、野口さんはせっかくのダイビングが一本ふいになってしまったことを申し訳ないと言ってくれたけれど、奈央子さんはケロッとした顔で、海に潜るよりも砂浜で貝殻を拾う方が楽しかったわと言いながら、薄いピンクの巻き貝をわたしに、茶色い模様のついた巻き貝を安藤に、一つずつ手渡してくれた。

なんだこりゃ、と心の声が聞こえてきそうな顔で受け取っていた安藤は、あの貝殻を西崎さんへのお土産にするかもしれない。

そんなことを思っているあいだ、奈央子さんは自分が通っているお料理サロンの話をしていた。料理だけでなくおもてなしの仕方も教えてくれるらしく、随分上達したのに、なかなか実践する機会がないの、とわざとすねた様子で、対局中の野口さんに聞こえるように言うと、野口さんは、よかったら今度妻の我《わ》儘《まま》につきあってもらえないか、と言ってきた。

「それは、ぜひ。杉下にいろいろと教えてやってください。こいつ、料理はわりと上手なのに、タッパーのままテーブルに並べたり、ハムにフォークを突き刺してそのままコンロであぶろうとしたり、お客をもてなす、っていう精神がまったく欠けてるんで、ぜひ」

お裾分けをしてあげてるのに、なんだそのいい草は、とムッとしたものの、帰ってからの食事会の日程まで本決まりになり、お友だち作戦大成功、と胸のうちでつぶやきながら、運ばれてきたときには花火がバチバチと光っていたカクテルを飲んだ。なんだかすごく心地いい。

海風に吹かれながら、将棋盤に向かって眉をひそめている安藤を見ているうちに、その姿はわたしを救ってくれた人の姿へと変わっていった。

母親の贅沢病は少なくとも、月に三度はあった。この服を買えたらもう一生新しい服はいらないからと、できそうにもない約束事をきれいな便せんに筆ペンでうやうやしく書いて差し出してきたり、もう注文したから恥をかかせないでと、のっけから威圧的な態度に出てみたり、眠っているわたしのからだを両手で思い切りゆすりながら、お金をちょうだいと泣き叫んだり。

頭の中を空っぽにすれば、厳しい言葉でつっぱねることができたけれど、洋介には無理だった。明るく正義感の強い洋介が次第に無口になっていくのをどうにかしなければ、と思った。

「洋介、高校、本土の私立を受けなよ。ここよりいっぱい勉強もできるし、部活もいろんなのがあるでしょ。寮に入れば規則正しい生活も送れるし、友だちもできるだろうし、いいことずくめじゃん」

「姉ちゃん、あいつと二人で大丈夫なのか?」

「わたしも高校を卒業したら島を出る。目先の収入よりも、大学に行って、大きな会社に就職して、自立する。あんたもがんばってよ。お金のことは心配しないで。世の中わりといい制度があるんだから、それをうまく活用しなきゃ」

「あいつ、一人になっても大丈夫かな」

「今はまだ、甘えてるんだよ。一人になれば、それなりに自立――してくれるといいね」

四月になり、洋介は本土の高校に進学した。いずれ会社を継ぐのだから、しっかり勉強させなきゃ。耳元でそうささやくと、母親は喜んで洋介を送り出した。

耐えるのは自分だけ、そう思う方がらくだったはずなのに、いざ洋介がいなくなると、母親の存在がそれまでの何倍も重くなった。多数決で贅沢病を抑えていたところがあったのだ、ということに今さらながらに気が付いたし、どんなに心が折れそうになっても、四阿で洋介と家を振り返っては母親の悪口を、お城を見下ろしては父親の悪口を言えば、それなりに気持ちを納めることができていたのだ。

母親と同じ空間にいるのがイヤで四阿まで逃げ出してきても、視界にお城が入ってくれば、別の怒りがこみ上げてくる。わたしの居場所はどこにもない。

島から出るのが先か、自分が壊れてしまうのが先か。そんな臨界点に達しそうになっていた頃だと思う。彼の後ろの席になったのは。

窓際の一番後ろの席というのは、それだけでも快適だけれど、前に背の高い成瀬くんがいたら快適度は三倍増しだった。ぼんやりと窓の外を眺めたのは、何ヶ月ぶりだっただろう。外を歩けば島中の人たちがじろじろとわたしを見る。学校に来れば遠巻きにひそひそと噂話をされる。それらが遮られるとこんなにも心地よいものなのか。

成瀬くんは誰の後ろにも隠れられない。でも彼はそんな場所がないことにとっくに気付いているのか、彼のことをやっかんでバカにする男子の目立つグループの子たちに何を言われても、聞いているのかいないのかといったそぶりで受け流す。最近は、家が経営している料亭が売却されるという噂があって、「おまえんち、つぶれるのかよ。おまえんちで酒飲んで事故起こしたおっさんのせいか?」などと本人の資質とはまったく関係ないことまで言われているけれど、「関係ないじゃん」の一言でシャットアウトしている。

失礼かもしれないけれど、成瀬くんとわたしは同じ立場にいるような気がした。何か話してみたいけどきっかけがない。そんなとき、授業中に新聞の切り抜きを見ていると、新任の数学教師に槍玉にあげられ、成瀬くんはこそっとわたしに問題の答えを教えてくれた。それから将棋の話になって、ほんの少し仲良くなれた。

でも、お互い自分のことは何も話さなかった。何も訊かれないのに自分から家の恥をさらすのはイヤだった。同情してください、と言ってるようなものだ。詰め将棋の切り抜きが手に入ると、二人で四阿に行く。同じ甘いコーヒーを飲んで、成瀬くんが攻略法を考えているあいだ、ぼんやりと海を眺める。ある日、ふと見ると、成瀬くんも遠くを見ていた。何を見ているのだろう、と視線を追うと、成瀬くんちの料亭が見えた。わたしも家族や会社の人のお祝い事で何度か行ったことがある、由緒正しい老舗の料亭『さざなみ』。

成瀬くんにとっての料亭は、わたしにとってのお城と同じなのかもしれない。視線を追ったことを気付かれたけれど、成瀬くんは何も言わなかった。でも、それが同じ思いを共有している証拠のような気がして、少し嬉しかった。

詰め将棋のパターンを憶えるようになったのは、余計なことを考えなくてもすむように空っぽのディスクに何かデータを入れようとしただけで、それほど興味があったわけじゃない。けれど成瀬くんと親しくなってからは、彼と話すきっかけが欲しくて、夢中で将棋番組を見たり、新聞を切り抜いたりするようになった。いちおうは自分で考えてみるもののさっぱりわからない攻略法を、授業中に簡単に答えられ、思わず「すごい」と言ってしまい、「何がすごいんだ」と数学の問題を一問解かされたことがある。それからは、口に出す代わりにシャーペンをカチカチカチと三回鳴らすことにした。

す・ご・い。す・ご・い。す・ご・い。

成瀬くんなら、もっとすごいことができるんじゃないか。誰にも邪魔されない広い世界で、成瀬くんの持ってるものすべてを出してほしい。——なんて、人の将来を応援しているどころではなくなった。ぎりぎりまで黙っておこうと思っていたのに、わたしが進学を希望していることが学校から母親に伝わってしまったのだ。

「希美ちゃんが出て行ったら、ママ、どうすればいいの？　ママはこんなからだなのに、希美ちゃんがいないと死んじゃうわ」

そう言って、泣いたり、怒ったり、叫んだり。もう無駄遣いはしないからとすがりつかれたり。わたしはあんたの召使いじゃない。

「わたしや洋介が邪魔だから、父さんに追い出されたんでしょ。洋介も寮でがんばってるし、わたしも出て行けば邪魔者はいなくなるんじゃないの？　父さんが迎えに来てくれるんじゃないの？　喜んでよ」

さんざん言われ続けていたことを、十倍希釈《きしやく》で返しただけだ。それなのに、母親はさらに壊れてしまった。夜ごと、「おうちに帰りたい」と泣き叫び、時には、わたしを起こして「連れて帰ってよ」とせがみ、夜が明けると、死んだように眠る。でもわたしは眠れない。睡眠不足と空腹は同じような作用をもたらすのか、再びわたしは壊れはじめた。

た・す・け・て。た・す・け・て。た・す・け・て。

成瀬くんの背中に向かいシャーペンを四回鳴らし続けた。

叫び続ける母親からの避難場所は四阿だけ。幽霊屋敷から悲鳴が聞こえるせいなのか、デートスポットになってもおかしくない四阿に、夜訪れる人は誰もいなかった。いや、そもそも、デートをするような若い人がいないのだ。ポツポツと民家に灯《とも》る明かりは見えるけれど、お城のすがたが見えない、というのは気持ちを落ち着かせてくれる。

そうだ！　お城がなくなればいいんだ。大切な場所がなくなれば、母親も「おうちに帰りたい」とは言わなくなるはずだ。あきらめもつき、少しは前向きな気持ちになってくれるかもしれない。

なくなれ、なくなれ、燃えてしまえ。

火をつけようか。けれど放火は重罪だ。だれのためにそんな罪を負わなければならないのだろう。誰か、火をつけてくれればいいのに。誰か、誰か、誰か——。

お城が燃える想像をすると、母親の夜泣きも少しはやりすごせるようになっていき、わたしは着々と進学の準備を進めた。父親には頼りたくない。そのために、奨学金を申請することにした。

そんなときだ、成瀬くんちの料亭がパチンコ屋になるという噂を聞いたのは。いつもの根拠のない大袈裟な噂だと思っていたけれど、成瀬くんが四阿で進学をあきらめるようなことを言ったのを聞いて、噂は本当だったのだと確信した。

わたしに何かできることはないだろうか。人のことどころではないのに、成瀬くんのために何かしてあげたくてたまらなかった。

でも、すべてをあきらめたような成瀬くんからは、内に秘めていた何かも出て行ってしまったかのようだった。それどころか、初めからそんなものはなかったんじゃないかという気すらしてきた。自分の現状を乗り越えるために、前の席になったあまり話したことがない男の子を自分の都合のいいように解釈していただけなんじゃないか。

空想放火と同じだ。

その一週間後、いつものように四阿でぼんやりしていると、暗闇の中でひときわ明るくなっているところがあることに気が付いた。電気の明かりじゃない、あれは――火だ。お城が燃えてほしいと強く願いすぎて、幻を見ているのかと目を何度もこすったけれど、火は消えてなくなるどころか、益々勢いを増しているようだった。

お城が燃えている！

坂道を夢中で駆け下りた。臭いが鼻を突く。煙が目にしみる。炎はすぐそこに見えている。お城はまだ少し先にあるはずなのに。燃えているのは、成瀬くんちの料亭だ。消防車はまだ来ていない。野次馬はちらほら、新聞配達のおばさんともすれ違った。

さらに進むと、成瀬くんが立っていた。火の粉が飛んできそうな場所で、真っすぐ立って料亭が燃えるのを正面から見つめていた。

彼が火をつけたんだ。大切な場所を自分だけのものにするために。

成瀬くんに近寄って、そっと腕に触れてみた。この手が火をつけたのだ。触れたままでいると、目の前の炎がわたしの中に入り込み、お城も母親も父親もあの女も、すべてを燃やし始めた。なくなれ、なくなれ、燃えてしまえ。そして、助けてくれて、ありがとう。

成瀬くん、成瀬くん、成瀬くん——あなたのためにわたしができることは何だろう。


西崎、土産だ。南の島で出会ったお姫様からいただいた貝殻だぞ。耳に当てると、お姫様からの愛のメッセージが聞こえるんじゃないか？

安藤は本当に奈央子さんからもらった貝殻を西崎さんに渡した。わたしも大切にとっておくようなものでもなかったので、西崎さんにあげた。

「西崎がトリか男か女だって言ってるわけじゃないけど、自己陶酔しながら書いたような小説って、おもしろくないんだよな。おまえ、あんまり外に出ないし、たまには、他人から出されたお題で書いてみたらどうだ？」

安藤はよく飲みながら西崎さんに、とりあえず卒業したら？　とか、小説書くのは趣味にしておいて就職しろよ、とか言っているくせに、たまに、小説のアドバイスめいたことを言うことがある。構ってほしいのにそれを素直に言えないようなところがあるのかもしれない。その証拠に、わたしのことも結構バカにしているし、誘ったときはそんなヒマはないとかケチをつけるくせに、将棋もスキューバダイビングも清掃会社のバイトにもつきあってくれている。

「野バラ荘」を守りたい、と言えばきっと、売ればいいじゃんとか、将来的にはじいさんも介護付きのマンションに住む方がいいよとか言うだろうけれど、結果的に先頭に立って行動してくれるんじゃないかと思う。野口さんと親しくなったのだからなおさらだ。今すぐにでも相談に行ってくれるかもしれない。野口さんからの信用度もわたしより安藤の方が高いからそっちの方がいいのかもしれないけれど。

仮に、野口さんのお父さんがもう「みどりビル」を売ることに決めていたらどうだろう。「みどりビル」の持ち主はお父さんだ。野口家の親子関係がどうなのかはわからないけれど、わたしが同じ立場だとしたら、父親を説得することはできない。あの人には言葉が通じないのだから。そのうえ、万が一それが原因で親子関係が悪化したら。

やっかいな相談をしてしまった安藤のせいだ、などと思われてしまうかもしれない。せっかくがんばって内定をもらった会社なのに、入社前に上司に疎《うと》ましがられては努力が台無しになってしまう。だから、絶対に安藤を巻き込んじゃだめだ。

西崎さんに野口夫妻とのことを報告すると、ミラクルだな、と驚かれた。じいさんの願いを叶えてやりたいという思いはあったけれど、まさか本当にこんな展開になるとは思わなかったよ、と。よく聞くと、野口さんの経歴を調べると珊瑚の保全団体のことが書いてあり、わたしにスキューバダイビングのライセンスを取得させるための口実にしようと思っただけらしい。

「だって、ライセンス取ろうかどうか迷ってたじゃん。せっかく取っても清掃作業ばかりじゃつまんないし、でも、趣味でやるにはお金がかかるし、とか言って。堅実な希美ちゃんは金を使うのに理由付けが必要そうだったからさ」

「じゃあ、沖縄まで行ったのは何だったの？」

「安藤クンと楽しかったんじゃないの？　彼は遊ぶのに理由付けが必要そうだったからね。俺としては二人がくっついてくれるのが兄心としてベストなんだけど、どう？　安藤クンは。いいと思うよ、出世しそうだし、守ってくれそうだし」

西崎さんの思惑は半分当たり、半分外れだ。

安藤とは気が合うけれど、だからといって、この先寄り添う姿は想像できない。石垣島での野口さんと奈央子さんを思い出し、それを安藤とわたしに置き換えてみる。わたしは半歩下がって安藤の腕を取ったりはしない。指先でつっつきながらおねだりもしない。ごはんも食べさせてもらわないし、ペンダントも高い美容液も買ってもらったりはしない。欲しいものは自分で手に入れる。

だいたい、こんな会話を安藤に聞かれたら怒られるに決まってる。

「そんなこと言って西崎さん、わたしのことが好きなんじゃないの?」

「きみはまったく、おめでたいね」

適当にはぐらかすと、西崎さんは愉快そうに笑った。

それから、せっかく仲良し大作戦が成功したのだから、次に進めよう、と計画を立てることにした。野口さんのようなタイプには、思いっ切り頼ってます、という態度で臨むのが一番いいんじゃないか、と言うと、西崎さんは食事会のお礼状をかねて、野口さん以外に相談するお相手がなく、という手紙を書いてみたらどうだろう、と提案してきた。

そこに「安藤には内緒で」と一言添え、野口さん宛に手紙を送ると、二日後にわたしの携帯電話に野口さんから電話がかかってきて、野口さんの会社の近くの喫茶店で会ってもらえることになった。

上京してから住んでいるアパート「野バラ荘」に買収の申し出が来ていること。大家のおじいさんは断っているのに、業者はあきらめず何度も来ているということ。買収に応じていないところがもう一件あるのを最近知ったこと。「みどりビル」というところで、持ち主を調べると野口喜一郎という人で、珍しい名字ではないけれど、名の通った人らしいので、もしも野口さんのお知り合いなら、と相談させてもらったこと。

もしかすると、最初からそれが目的で近づいたことがバレてしまうかもしれない、と心配したけれど、野口さんのお父さんの所有しているビルや土地は都内に点在しているらしく、ああ、あそこか、と疑われずに納得してもらうことができた。

野口さんが言うには、「みどりビル」はバブルの時代に現在の地価の何十倍もの値段で買ったので、あれと同じ金額でなければ意地でも手放さないつもりでいるらしい。また、「リトル東京（仮）」の候補地は他にも二ヶ所あるらしく、業者側も、新しい地下鉄のルート次第で少し様子を見よう、という動きになっているらしい。

そんなことはまったく知らなかった。おじいちゃんも知らないはずだ。

野口さんは心配しなくていいと言ってくれ、新しい動きがあるごとに報告するとも言ってくれた。

「ところで、どうして安藤くんに内緒なんだい？」

「安藤と一緒だと、もし、このたびのご相談が野口さんにとって煩《わずら》わしいものだった場合でも、野口さんは情に厚いかたなので、同じ会社に就職する安藤のためにと無理をされるんじゃないかな、それでは申し訳ないな、と思ったからです」

「なるほど。だが、安藤くん抜きで会えてよかったよ。情報を提供する代わりと言ってはなんだが、僕の方からもきみに、安藤くんには内緒でお願いしたいことがあってね。――将棋のブレーンになってくれないか」

「ブレーンというほど、強くないんですけど」

「安藤くんとの対局は？」

「それは、今のところ全勝です」

「なら、充分だ」

石垣島で野口さんは安藤に負けていた。そのリベンジを果たしたいのだろうか。そんな趣味程度のものなら、今まで蓄積《ちくせき》したデータでまかなえそうだ。それにしても、近頃この機能が少し低下しているような気がする。以前ははっきりくっきりとした画像で入ってきていたのに、だんだんピンぼけ写真のようになっている。


安藤が「野バラ荘」にいるのもあとひと月か、と彼の好物のブリ大根を煮込んでいると、いきなり部屋にやってきて、バイトに一緒に入ってくれと言われた。一緒に入る予定だったタナカくんが急に腹痛を起こした、と。夜明け前のオフィスビル。フロアの掃除によくあるパターンで、二人でフロアはきついんじゃないの？　と文句を言いながらついていくと、従業員用のエレベーターに乗せられた。最上階。

　高層ビルの屋上に立っただけで、おおっ、と感動してしまった。

「ゴンドラ乗りたくて、このバイト始めたんだろ。杉下にはいろいろ世話になったし、アパート出る前に借りは返しておかなきゃな」

　そう言って、清掃会社から支給される掃除道具の入ったスポーツバッグから、十キロのおもりのついたダイビング用のウエイトベルトを取り出して、これを巻けと渡してくれた。体重問題はこうすればクリアできたのか。

　ゆっくりと乗り込むと、安藤がゴンドラを少しだけ降車させて止めた。

　外側にからだを向けると、屋上に着いたときは一面濃い藍色だった空の低いところに白い横筋が流れ、それが徐々に上に広がっていく様子が見えた。朝靄《あさもや》で地上は見下ろせず、雲の上、怖ろしく高いところに立っているような錯覚を起こす。このビルは高さ二百五十メートルくらいだったはず。あの四阿よりも高い場所だ。

　島で一番高い青景山は、東京タワーよりわずかに低い。そんな人工物に負けてしまうような低い山の、それも途中の場所から、海の向こうが見たいとずっとずっと願っていたのか。

――海が見えた。

出てくる限りすべての言葉を安藤に並べたけれど、まだまだ足りないような気がする。でもきっと、ありがとうしか出てこない。

風にあおられゴンドラが揺れた。と同時にからだが吸い上げられそうになり、足がふらついた。ああ、びっくりした、と安藤を見ると、何事もなかったかのように立っている。だから、わたしはゴンドラに乗せてもらえなかったんだ。

きっと、安藤はこの先、わたしが手を伸ばしても届かない世界へ行くことができるんだろうな。それは、うらやましくもあり、嬉しくもある。ぐらついた拍子に作業服の裾をつかんでしまったけれど、こうやってつかまっていれば、わたしが一人では行けないところに、また連れていってくれるだろうか。

いや、ゴンドラの上だからこうやってつかまっていても何も言わないけれど、地上で寄り添えば、自分で立て、と怒られるに違いない。もうすぐ「野バラ荘」を出るからここに連れてきてもらえただけなのに。それでも、わたしはこんなにも幸せな気分だ。

安藤望のためにわたしにできることは、手を離し、がんばってと見送ることなのだと思う。誰も、安藤の邪魔をしてはいけない。

十年後

十年経って気付いたことがある。成瀬くんと一緒に炎を見上げながら、それまでの砂をかみしめるような出来事はすべて燃え尽きたと思っていた。成瀬くんに奨学金の申請書を渡し、シャーペンを「あ・り・が・と・う」と五回鳴らしてから、父親に頭を下げた。そうして島から出たことにより、ゼロから新しい生活を送り始めたと思っていた。

母親にはわたしが島から出た途端、おさななじみだという王子様が現れ、心を煩わせる問題も解消されていたはずだった。

でも、大鍋いっぱいに料理を作り、総菜のタッパーで冷蔵庫内をうめつくしていた頃は、やはりまだ少し壊れていたのだと思う。それを少しずつ治してくれたのは、「野バラ荘」で共に過ごした安藤と西崎さんだ。ゴンドラに乗せてもらったあと、安藤と二人でアパートに帰り、おなかがすいた、と冷蔵庫に入れてあったお総菜を全部食べきった。空っぽの冷蔵庫を見ても、まったく口の中がざらつかなかった。

その日の晩はホームセンターで電気鍋を買ってきて、西崎さんも一緒に三人で初めて鍋をつついた。それからは、そのとき食べたいものを、食べたいぶんだけ作るようになった。そうすることにしたんだけど、おじいちゃんは何食べたい？　と訊ねに行くと、それはよかった、と嬉しそうに言われた。

よかった、というのは、おじいちゃんが食べたいものをリクエストできることだと思っていたけれど、食べるものがつねにある状態にしておかなければ心が落ち着かないというわたしの症状におじいちゃんは気付いていたんじゃないかと思う。それが治って、よかった、だ。きっと。

でも、まともだったのはほんの数ヶ月。

ある日――六畳間にドレッサーが運び込まれた。

第五章

「烙印」

行為と理由はいかなる場合も一対であるのだろうか。

起こってしまったことに対し、あとから理由を並べ立てても事実は何も変わらない。それなのに人はなぜ、動機だとか、経緯だとか、理由を求めようとするのだろう。

就学前の子どもが取っ手のないコップに注がれたミルクを飲んでいる。だが、子どもの手にそのコップはやや大きかった。冷えたミルクでコップの表面には水滴が浮いている。子どもは手を滑らせてコップを床に落とした。コップは堅い床の上にミルクをまき散らしながら砕けてしまう。子どもはあわてて椅子から飛び降り、割れたコップの破片に手を伸ばす。右手の人差し指の先にちくりと痛みを感じ、見ると直径五ミリにも満たない小さな赤い玉が浮いていた。まんまるだ。子どもがその玉に見とれていると、背後からヒステリックな女の声が響いた。

「なんてこと！」

子どもの母親だ。子どもはびくりと肩をふるわせ振り向こうとしたが、それより先に女の手が伸びた。丸首シャツの首もとを後ろから力いっぱい引っ張られる。息苦しさにむせながら両手でシャツの前首に手をかけた子どもは、そのままの姿勢でミルクの飛び散った床の上に蹴り転がされた。女は丸く身を縮めた子どもの背中や脇腹を、サッカーボールのように蹴り始める。

「ごめんなさい、ごめんなさい……」

子どもは涙を流し、声を詰まらせながら、女に謝り続ける。だが、女は蹴り続ける。皮膚とは違うからだの奥で痛みを感じながら子どもは考える。なぜ自分は蹴られているのだろう。コップを落としてしまったから。コップが割れてしまったから。ミルクがこぼれてしまったから。床が汚れてしまったから。飲み物を粗末にしてしまったから。それならば仕方がない。

声を出す気力を失い気が遠くなりかけた頃、母親は蹴るのをやめた。子どもを両手で抱き起こすと、力いっぱい抱きしめる。

「痛かった?」

やさしい声での問いかけに、力なく頷《うなず》くと、母親の目から堰《せき》を切ったように涙が溢れ出した。

「ごめんね、ごめんね、ママのことをきらいにならないで。マーくんのおててから血が出てたでしょ。ママは大切なマーくんのからだに傷がついてしまったことが悲しかったの。ママがマーくんに痛い痛いをしてしまったのは、マーくんのことがきらいだからじゃないの。世界一愛しているからなの」

指先に浮いていた血などとっくに消えていた。だが、腕や脇腹には数日前にできた痣《あざ》がまだ赤黒く残っている。白く細長い指先で痣から痣へ星座を描くようになぞり続けながら母親は言う。これらはすべてあなたがわたしに愛されている証《あかし》なの。

母親に痣をつけられた。その行為の理由は、愛しているから。

窓の外には空しか見えない高層マンションの一室で母親と二人きりの生活。父親は物心ついたときにはすでに母親と別れていた。

暴力が愛という言葉で許されるのなら、愛などいらない。世界の広さを知っていれば、子どもは母親にそう断言することができたのだろうか。

小学生になった子どもは痣の浮いた腕や太ももを隠すような服を着せられて、学校に通っていた。だが、正義感の強い若い男性担任教師は夏場の長袖姿を不審に思い、さりげなくシャツの袖をめくりあげ、赤黒い痣を見つけた。まずは子どもに訊ねてみる。

「ここ、赤くなってるけど、どうしたんだ?」

「……知らない」

消え入るような声で子どもは答えた。母親をかばおうとしたのではない。自分の受けている行為が、他の大人たちから眉をひそめて訊ねられるようなことなのだと知り、衝撃を受けたのだ。そのうえ、担任教師の口元から漂ってくるタバコの臭いは、子どもにとってひどく不快で、あとに続く質問にはすべて顔を背けながら答えた。

担任教師はその日のうちに子どものマンションを訪れた。リビングのソファで向かい合う母親と担任教師の様子を、子どもは廊下のかげから気付かれないようにじっと見つめていた。

「真人くん、腕に痣ができているようなんですが、お母さんの方で何か心当たりはありませんか?」

「うちの子、元気すぎて、気が付くとケガをしてるんです。それとも、お友だちのせいかしら。男の子だからちょっとくらい痣ができていても、こういうものかなって、あまり気にしてなかったんですけど」

母親がとぼけたことにさらに衝撃を受けた。自分の行為が人前で堂々と口にできることではないことを、母親は自覚しているのだ。

「学校では、真人くんが暴れたり、大騒ぎしたりしているところを見ないんですけどね」

「先生はわたしを疑ってるんですか？　だとしたら、これだけははっきりと言わせていただきます。わたしは世界一子どもを愛しています」

母親はそう言うと、廊下に向かって声をあげた。

「マーくん、そこにいるんでしょ。入っていらっしゃい」

どうしてわかったのだろう。子どもはおそるおそるリビングに入っていった。

「さあ、ママのところにいらっしゃい」

母親はソファから立ち上がり、子どもに向かって両手を広げた。担任教師は真剣な目をして子どもと母親を交互に見ている。子どもは一歩一歩ゆっくりと近づいていき、母親の手の届くところに一歩足を踏み入れた途端、ぐいと両腕を引かれ、力一杯抱きしめられた。

「ほら来てくれた。わたしはこの子を世界一愛してるの」

子どもを抱きしめたまま、満面に笑みをたたえて勝ち誇ったように見上げた表情に、担任教師は魂を吸い取られてしまったのか。ひと月後、子どもは母親のからだからタバコの臭いが漂っていることに気が付いた。

不快だったが、おとなはタバコを吸うものなのだと、あまり深く考えなかった。タバコの臭いが漂い始めてから、母親は子どもに暴力を振るわなくなった。「愛してる」と言われなくなった。それらの日々は、子どもにとって身が蕩《とろ》け落ちてしまいそうになるくらい快適だった。

臭いを漂わせていただけの母親は、半月もすると、子どもの前でタバコを吸うようになった。けむりの充満したリビングで子どもは何度もむせかえったが、痣をつけられるよりは何万倍もマシだった。

ある日、子どもは学校で、担任教師の脇腹に赤黒い痣があるのを見つけた。体育の時間にマット運動の模範演技を見せるため、逆立ちをしてポロシャツの裾がめくれあがった際に、わずかに見えたのだ。

その瞬間、タバコの臭いと痣がつながった。母親が今愛しているのはこの男だ。

——かわいそうに。

夏休みを数日後に控えた大雨の日、朝の始業チャイムが鳴っても担任教師は現れなかった。台風が近づいているのだ、今日はこのまま帰ることになるかもしれない、先生たちは今その話し合いをしているのだ。教室内は大騒ぎだった。子どももその輪の端に加わっていた。黒い雲に覆われた空を見ながら、嵐が来る予感に、胸が躍った。

しばらくして教室に入ってきたのは担任ではなく、教頭先生だった。期待通り、児童たちに、台風接近による大雨洪水警報が発令されたことを告げ、集団下校の指示を出し始めた。雨脚が激しくなり大きめの傘が風を受けて飛ばされそうになるのを、半ば楽しみながら帰宅し、玄関ドアを開けると、そこはひと足早く台風が通過したような状態になっていた。

靴箱の上に飾られていた花瓶が廊下の上で砕け、水や花がそこらじゅうに飛び散っている。朝出るときはきれいに片付いていたはずなのに。

「ママ」

リビングに向かい声をかけたが、返事はない。泥棒でも入ったのだろうかと、足がすくみ、靴を脱ぐことができなかった。廊下の突き当たりにある母親の寝室のドアがバンと音を立てて開いた。息をのむ。

「なんだ、マーくんだったの」

母親だった。長い髪が乱れ、泣いていたのか目が腫れている。

「そっか、学校に行ってたのよね。朝っぱらから、おかしな電話がかかってきたからパニクっちゃったけど、今日は平日だし、まだこんな時間なのよね」

母親が何を言っているのか、よくわからなかった。

「台風が近づいてるから、早く帰りなさいって先生に言われたんだ」

先生という言葉に、母親は腫れ上がった目を見開いた。

「そう。……先生は他になんて？」

「家から出ちゃダメだって。他のクラスは宿題がいっぱい出たけど、僕たちのクラスは先生が休みで代わりに教頭先生が来てたから、宿題、一こも出なかったんだ」

「鈴木《すずき》先生、お休みだったの？　どうして？」

「知らない」

「教頭先生は、鈴木先生のお休みの理由をなんて言ってたの？」

「なんにも。先生は今日お休みなので、教頭先生が代わりに来ました、って言ってただけだよ」

「風邪を引いたとか、事故にあったとか、おうちの人に何かあったとか、そういうこと言ってなかった？」

「本当に何も言ってないよ。僕、ちゃんと聞いてたもん。それより……」

廊下に視線を向けた。砕けた花瓶の向こうには、置き時計やスリッパが無造作に転がっている。その場にあるものを手当たり次第、床に投げつけたかのようだった。

「気にしないで、お部屋に入ってなさい。宿題がないからってさぼっちゃダメよ。本でも読んでなさい」

厳しく突き放すように言われ、おとなしく子ども部屋にこもったが、本など教科書以外一冊も持っていなかった。

――男の子なのに、部屋にこもって本なんか読んでちゃダメ。理屈っぽくなるだけだわ。

母親は子どもに本を与えなかった。別れた父親が相当な読書家だったせいだ。だが、子どもはそれを不満に思ったことはない。その他の娯楽は人並みに与えられていたからだ。ゲームをしたり、テレビを見たり、うとうとしたり。空腹を感じ、部屋から出ると、寝室から母親の悲鳴のような叫び声が聞こえた。

「けんいち、けんいち、許さない！」

鈴木健一先生のことを、クラスの児童は「けんいち先生」と呼んでいたため、子どもはすぐに担任教師の名だとわかった。先生が学校に来ていなかったことと何か関係があるのだろうか。だが、そんなことを訊ねることはできない。

廊下はまったく片付いていなかった。リビングは足の踏み場もないほどの大惨事で、キッチンに辿り着くまでにはガラスの破片の山を何度も越えなければならない。

仕方なく、子どもは学校から持ち帰った給食のパンと牛乳で空腹をしのいだ。

風雨が真横から窓を叩き付け、台風がいよいよ接近してきた頃、子ども部屋のドアが開き、タバコを片手に母親が入ってきた。ゲーム機を持った子どもの手元をジロリと睨《にら》み付ける。

「本は読んだの？」

「だって僕、本を持ってないもん」

「学校に図書室があるでしょう」

そんなものは一度も利用したことはないし、母親から勧められたこともない。座ったまま黙ってうつむいていると、背中を蹴り飛ばされた。

「本がないなら、ママが読みなさいって言ったときにそう言えばよかったんじゃない。なんであとになってママが悪いような言い方をするの。どうして、どうして、どうしてマーくんまで。ママの声が聞こえないの？」

子どもは小さく首を横に振った。

「ママのことを愛してないの？」

もう一度、首を横に振った。

「じゃあ、愛してることを忘れないように、印をつけてあげる」

右腕の一点に激痛が走った。母親がタバコを押し当てたのだ。皮膚の表面をどろっと焼き尽くす痛みの矢はそのままからだの中を突き抜け、脳天に突き刺さった。悲鳴をあげることもできない。頭の奥がしびれ、視界が歪《ゆが》んでいく。

台風とともに、担任教師は学校を去っていった。頭がおかしくなったからという噂が、学校中に広がっていた。

母親は再び子どもを愛するようになった。夏休みだというのに、子どもは家から出ることを許されず、一生消えることのない愛の証という名の烙印を、からだじゅうに刻み込まれていった。

ある晩、子どもはおかしな臭いで目が覚めた。

子ども部屋から出て、臭いが漂ってくるリビングに入ると、母親がソファに横たわり熟睡していた。右手はだらりとソファの下に垂れ下がり、毛足の短いラグの上に火がついたままのタバコが落ちている。タバコから這《は》い出す小さなオレンジ色の虫の集団が、ゆっくりとラグを黒く食い尽くしている。子どもにはそんなふうに見えた。

ぼんやり立って見ているうちに、オレンジ色の虫たちは子どもの足元にまでせまってきた。虫たちは徐々に仲間を増やしていき、小さな粒からゆらゆらとゆれる大きなかたまりへと形を変えていった。大きなかたまりはソファに食らいついた。そして、母親の長いスカートの裾にも。

このままでは僕も食べられてしまう。

子どもは玄関ドアから飛び出すと、廊下を突っ切り、マンションの非常階段を駆け下りた。ぐるぐるといくら駆け下りても、地上が近づく気配はない。息が上がり、からだじゅうに点在する痣が内側からじんじんと疼《うず》き始めた。

からだの中が燃えている。僕はこのまま燃えて死んでしまうんだ。

オレンジ色の虫たちに、からだの中を食い尽くされていくのを感じながら、子どもはその場に座り込み、目を閉じた。

目を覚ましたのは病院で、そこで母親の死を知った。迎えに来たのは父親で、半袖パジャマから出た子どもの腕に痣があるのを見つけると、「すまない」と何度も詫びた。

「あんな女におまえを渡すんじゃなかった」

母親のことを自分がどう思っていたのか、よくわからなかったが、あんな女と言われると、かわいそうな気がした。

父親はすでに再婚しており、子どもには小さな弟ができた。新しい母親は弟よりも子どもに親切に接してくれた。お兄ちゃんはかわいそうな子だからと。

新しく転校した学校では、痣が人目につかないよう、制服も体操服も一年中長袖で過ごすことを許可された。水泳の授業も免除された。彼はかわいそうな子だからと。

かわいそうな子。そう言われるごとに、過去の人生から愛が消えていく。

子どもは一人になれる場所を探した。だが、どこにいても、かわいそうな子を気遣って、誰かしらが声をかけてくる。

広い戸建ての家には、書斎があった。

そこにこもり、本を読むフリをしていれば誰も声をかけてこない。教科書以外に本を読んだことがなかったため、最初は本を開いただけで文字に酔いそうになっていたが、一文、二文と読んでいるうちに、少しずつ慣れていくことができた。

時間を遡《さかのぼ》り、ここではないどこか別の世界に行く。それが楽しくて中学生まではSFやファンタジーを学校の図書室で借りて読んでいたが、ある日、借りてきた本を予定より早く読み終えたため、書斎の本棚から何か選んで読むことにした。

谷崎潤一郎。『痴人の愛』、『春琴抄』、『鍵』、いずれも読みながら「愛」という言葉が頭の中に浮かんできた。魔性の女に翻弄される「かわいそうな男」の物語のはずなのに。母親から受けた愛という名の行為。現実世界では「かわいそうな子」と同情しかされないが、美しい文章で紙に綴れば、愛だと言ってもらえるのだろうか。

僕はかわいそうな子ではない。僕のことを「かわいそうな子」と言うヤツらに僕の物語を読ませ、母親とのあいだに愛があったことを気付かせてやりたい。

いかなる行為においても愛が理由になり得るのだと、証明してみせるのだ。

＊

事実をそのまま書き連ねても、それはかわいそうな身の上話にすぎない。事実を文学に昇華させてこそ人生は意味を持つ。そう悟った途端、二十枚近く書き連ねた手元の原稿用紙がくだらない紙束にしか見えなくなった。

パソコンで書いた原稿なら、一瞬で削除することができる。だが、手書き原稿の場合、丸めてゴミ箱に突っ込んだり、小さく破ったりすることはできるが、書いた痕跡を一瞬で消してしまうことはできない。いっそ、燃やしてしまおうか。

炎ですべてが消せたら――。

現実世界で炎を放てば、それは大きな罪となる。たとえ、愛のために放った炎であってもだ。放火の理由が愛であっても罪は罪。暴力の理由が愛であっても罪は罪。狂気の理由が愛であっても罪は罪。愚かな行為と蔑《さげす》まれ、罵《ののし》られ、存在していた愛すらも否定されてしまう。

だが、文学の世界では、これらは真の愛と評価される。

過去の人生に愛を見いだしたいのなら、事実を文学に昇華させればいい。それには、脚色が必要だ。自分でこれは愛の物語だと書き連ねても、読む者が愛を感じることができなければ、物語、そして事実の中に愛は存在しないということになる。他人に評価されてこそ、愛は確かに存在したということになるのだ。

何年、そう自分に言い聞かせてきただろう。

大学に籍を置きながらも、学校に行かず、働きもせず、古いアパートの一室に閉じこもり、ただひたすら物語を書き続けた。

ある日ふと、男に捨てられた女から虐待を受ける感情の欠落した子どもを、トリで表現してみれば、と思いついた。トリと女と男だけの閉ざされた愛の世界。湧き水が溢れかえるように、真っ暗だった頭の中に物語が広がっていった。小説を書き始めて三年近く経《た》っていたが、こんな感覚は初めてだった。

ついに、俺は過去を受け入れることができる。書き上げたあと、そんな予感と手応えを感じた作品、それが「灼熱バード」だった。

ある夏の雨の日の夕方、隣室のドアの前に女が一人、ひざをかかえて座り込んでいた。傘を持たずにここまで来たからなのか、安アパートのひさしが役に立っていないという証拠なのか、女の長い髪から幾筋もの雫《しずく》が頬を伝い流れ落ちていた。まるで涙を流しているかのように。

一瞬だけ目が合い、どうしたものかと足を止めたが、声をかける理由もなく、そのまま自室へと入った。しばらくして、カーテンを閉めようと窓辺に寄り外を見ると、女がまだ同じ場所に座っているのが見えた。雨脚は激しくなる一方だった。

外に出ると、女の方から声をかけてきた。

「希美ちゃんを訪ねてきたんだけど、彼女は毎日何時頃に帰ってくるのかしら」

安いトタンでできたひさしを打ち鳴らす雨音にかき消されてしまうような、かぼそい声だった。女は「携帯電話を忘れてしまって」と付け加えた。

女に、「のぞみちゃん」はおそらくバイトで晩までに戻るのは難しいだろうということを告げ、よかったら、うちで待ちませんか？　と訊いてみた。女に興味はまったくなかった。杉下の客がこれ以上みじめな姿になるのをほうっておくことができなかっただけだ。

女は警戒した様子で部屋に上がってきたが、バスタオルを渡し、熱いコーヒーを淹れてやると、少し落ち着いた表情を見せた。

「希美ちゃんと仲がいいの？」

そう訊かれ、「のぞみちゃん」とは台風をきっかけに仲良くなったこと、上の階に住んでいた安藤というヤツと三人でよく飲んでいたことなどを教えてやった。

「まあ、安藤さんもご存じなの？」

女は安藤のことも知っていた。すっかり落ち着いた様子で、キョロキョロと部屋の中を見回し、いくつかのものに目を留めると、意味深な笑みを浮かべた。

「もしかして、恋人同士なの？」

「さあね」

笑ってごまかした。女が杉下とそれほど親しい関係ではないことがわかったからだ。杉下には究極の愛を誓った相手がいるということは、俺ですら知っているのだから。

冷蔵庫の上に置いてある、いるか模様のマグカップやいちご模様の箸を見てそう思ったのだろう。部屋にある数少ない他人用の食器は、すべてその使用者が持ち込んだものだ。

だが、いるか模様は杉下のものではない。安藤のものだ。

現実世界のたった二人の友人——ではなく、「のぞみちゃん」と「のぞみくん」を介してのみ、今の俺は現実世界とつながっているのかもしれない。いや、もう一人いた。管理人の野原のじいさん。つまり、この「野バラ荘」が俺にとって唯一の現実世界なのだ。

そこに、自分から声をかけたとはいえ、上がり込んできた見知らぬ女。軽率《けいそつ》なことをしてしまったかもしれないが、今さら追い出すこともできない。

「まあ、これ！」

女は本棚に手を伸ばし、貝殻を取った。薄いピンクの巻き貝を指先でなぞりながら見つめ、片方の耳に当てる。

貝殻は最初二つあったが、一つはもらって数日後におかしな虫が出てきたため捨てた。貝殻の送り主たちは二人とも場所は違うが、小さな島出身者だった。海を見ずに過ごした日など一日もないというほど、海は日常の一部になっていたらしい。貝殻を耳に当てると波の音がするのだと言われ、促されるままやってみたが、何も聞こえはしなかった。もっと強く押し当てなきゃと、強引に押さえつけられると、ゴゴゴという音が耳の奥で響いた。だが、それは血液の流れる音だ。それを波の音だと勘違いしているのだろうか。それとも、海と一緒に生きてきたあいつらには、血液も波も、体内を行き交うものとして同じ扱いになっているのだろうか。理解できないのは、俺が海とは無縁の世界で生きてきたから。

空しか見えない四角い空間。

波の音なんか聞こえないと言い切ると、今度は、枕元に置いて寝てみたらどうだと提案された。

——ものすごい美女が夢に出てくるかもしれないよ。ねえ、安藤。

——夢の中だけで出会える美女か。いいねえ。西崎、それで一本書いてみたらどうだ？

現実的なあいつらにしてはかなり浮《うわ》ついた言葉だったが、それほどに沖縄旅行は楽しかったのだろう。

他人の思い出の品である貝殻を耳に押し当てたまま、女は涙をこぼし始めた。彼女には何が聞こえているのだろう。波の音か。それによって呼び戻される記憶は、初対面の人間の部屋で涙を流すほどのものなのか。

「こんなもの、あげなきゃよかった……」

女がつぶやいた。

「この貝殻、わたしが希美ちゃんにあげたの」

その言葉で女が誰なのかわかった。沖縄旅行で出会った野口貴弘氏の妻、名前は何といっただろうか。

「思い出の貝殻がここにあるということは、あなたは希美ちゃんにとってやっぱり大切な人なのね。こんな素敵な人がいるのに、どうして彼女はあんなことをしようとするのかしら」

あんなこと——「野バラ荘」を守る計画のことか？　そのために、杉下は安藤と一緒に沖縄旅行に出かけた。「野バラ荘」と同様に土地の買収に応じていない「みどりビル」のオーナーの息子、野口氏と知り合うために。現実が物語のように計画通りにいくはずがない、やれるもんならやってみろ、といった気持ちで送り出したが、杉下は予想以上の成果を持ち帰ってきた。

その後、杉下は野口氏に手紙を送り、土地買収問題の相談をした。手紙の文面を考えたのは俺だ。

貝殻を耳に押し当て、石垣島の波の音を聞きながら、野口さんと出会えた楽しかった夏の日のことを思い出しております。——そんな出だしだったはずだ。

野口氏は「みどりビル」を売る予定はないと言っていた、と杉下から報告を受けた。また、都の新地下鉄の計画次第で、マンションは別の場所に建てられる可能性があるとも。それを野原のじいさんに報告してやり、三人で祝杯をあげたのはもう半年以上も前のことになる。

「希美ちゃんが手に入れたいものが何なのか、わたしにはわかる。それがとてもつまらないものだってこともわかる。なのに、わたしは希美ちゃんがうらやましい。手に入れたいものがある彼女がうらやましい。だけどわたしは希美ちゃんにはなりたくない。――卑怯だわ」

「彼女は、希美は、何を手に入れようとしているの？」

流れ的なものだが、勝手に呼び捨てにしたと知ったら、杉下は怒るだろうか。いや、そんなことは気にしないだろう。それくらいには理解しあえていると思っている。杉下の手に入れたいもの――。

「一人で生きていく力」女が言った。

漠然と感じてきたことを、初対面の女は一言で表現した。

「大きな会社に入って、たくさんお金を稼いで。きれいな服でも買いたいのならかわいげもあるけど、彼女は男性に頼って生きている女を、ううん、わたしをバカにしているの。わたしが素敵なお店に連れていってあげても、嬉しそうな顔はするけど、目が笑っていない。主人と将棋の話をしているときは、心の底から楽しんでるって顔をしてるのに」

「あいつは将棋が好きだから。俺もさんざん勧められたけど、どうも気が乗らなくてね」

「わたしは勧められもしなかったわ。そんなに楽しいのなら、わたしも覚えてみようかしらって言うと、奈央子さんには将棋なんてもう必要ないじゃないですか、って。あの子にとって、将棋は男に取り入るための手段なのよ。その証拠に、あの子は将棋を口実に、わたしに隠れて、主人と会っているんだから」

「それは……」

土地の買収の件について相談をしていたのだと、教えた方がいいのだろうか。だが、それを打ち明けてしまうと、野口氏と同じ団体にボランティア登録したことや、沖縄旅行がすべてそのための計画だったことを、見抜かれてしまうのではないか。

杉下にとって将棋は手段──田舎の少ない娯楽の一つくらいにしか思っていなかったが、手段と言われた途端、杉下と将棋はピタリと重なり合った。

「主人はね、負けることが、この世で一番きらいなの。それなら初めから勝負なんてしなければいいのに、性格なのかしら、誰かと競いたくてたまらないのね。せっかく二人で旅行に来てるのに、同じダイビングツアーに参加してる子たちが将棋をしているのを見たら、もうわたしのことなんて目に入らないの」

「あんたも、希美じゃなくて、ダンナに将棋を教えてもらえばいいじゃないか」

「それは、無理。あの人は女とは競わないから」

「じゃあ、希美も相手にされてないだろ」

「そうね、勝負をするのはいつも安藤くんと。でも、希美ちゃんはそれをちょっと高いところから見てるの。安藤くんをからかったりしながら」

「知ってる。ここでやってたときもそうだったから。あいつら、きょうだいみたいな感じだろ」

「ええ、そうね。初めは恋人同士かと思ってたけど、そういう雰囲気がまったくなくて、不思議な関係だなって思ってたのよ。二人が恋人同士なら、わたしも希美ちゃんを疑ったりしない。でも、あなたがいるってわかっても、希美ちゃんへの疑惑は消えない。絶対に何かあるはずよ」

「就職の相談かもしれない。何にしても、あんたのダンナが相手にしてなきゃそれでいいんじゃないの?」

「でも、手紙まで書いてるのよ。ちらっとしか見えなかったけど、貝殻を耳に押し当てて野口さんのことを思い出している、みたいなことが書いてあったわ」

それこそ土地の件で書いた相談の手紙だ。こんなところで俺相手にごちゃごちゃ言わなくても、「何の手紙?」と直接訊けば、ダンナは隠さずに答えるのではないか。

「旅行の礼状じゃない? ダンナに訊いてみれば?」

「ダメよ！」

突然、女がヒステリックな声をあげた。

「彼を少しでも疑うようなことを言うと、きっと許してもらえないわ」

「希美も、安藤も、あんたのダンナのこと、親切で面倒見のいい人って言ってたけど」

「それは、他人だから。わたしには——ほら」

女が長袖ワンピースの袖口をわずかにまくりあげると、赤黒い痣が現れた。

「あの人の不満。本当の気持ちはわたしにしか見せないの。わたしのせいじゃないこともわたしが受け止めてあげなきゃいけないの。例えば、石垣島で安藤くんに将棋で負けたときも」

「殴られるのか？」

「蹴ったり、道具を使ったり、そのときの気分次第」

「誰かに相談しないのか？」

「誤解しないで、これは愛の証なの。彼にはわたししかいなくて、わたしには彼しかいない。痛くて、苦しくて、逃げ出したくなることもあるけれど、別の女にとって代わられるのは絶対にイヤ。希美ちゃんにはきっと耐えられないわ。それを伝えたくて、今日はここに来たのに……。プレゼントも贈ったのよ。あの子、ショッピングのときはいつも流して見ているだけなのに、このあいだ、アンティークショップに行ったときは、ドレッサーをじっと食い入るように見てたの。だから……」

「そういうのは、愛じゃない」

「プレゼントに……」

「希美のことじゃない。あんたのことだ。不満を受け止めるために暴力を振るわれることが愛だなんて、そんなわけがないだろ。ダンナから逃げたり抵抗することをあきらめて、暴力を愛って言葉に置き換えて、自分をなぐさめているだけだ」

「あなたに何がわかるの？」

「わかるよ。——俺がそうだった、いや、今もそうだから」

ほんの一時間前に出会った女に、「灼熱バード」の原稿を手渡した。


原稿に一滴、雫が落ちた。女の涙だった。

「トリは、あなたなんでしょ」

黙って頷いた。母親と二人きりで育った子どもは、母親に捨てられては生きていけないと思い込んでいた。母親からタバコの火を押し当てられるたび、これは生きるための儀式なのだと、自分に言い聞かせていた。

物語の中では「生きるための儀式」に至るまでの要因を、食べるということ一点に絞っている。テストの点数だの箸の持ち方だのを出すのは、事実ではあるが文学的ではない。生きるために炎に焼かれるトリ。自分はトリであると思い込むことにより、行為を受け入れられる人間の子ども。愚かな行為を愛という言葉に置き換えて子どもを虐待する女。女から逃げ出した男。すべてを表現しきれたと思っていたが、誰からも理解を得ることができなかった、俺の文学、そして人生。

その世界に涙を落としてくれたのは、白い肌に赤黒い痣を浮かべた女だった。しかも、女はそれを愛の証だと信じている。誰にも見せたことのない痣を俺は女に見せた。女の痣よりもっと醜い、一生消えることのない痣。

「あなたもわたしと一緒。こんなに愛してくれたのは誰?」

愛してくれた、のだろうか。

「――母親」

「そう。たくさん愛してくれたのね」

女は俺の腕を取り、痣の一つに唇を押し当てた。冷たくやわらかい唇に熱が吸い込まれ、痣が消えていくかのようだった。女は一つずつの痣に口づけしていった。唇が離れ、また吸いつくごとに、こんなにも自分は愛されていたのかという思いが募っていった。

もっと痣をつけてくれていたらよかったのに。

やはり、母親は俺のことを愛してくれていたのだ。この世の誰よりも愛してくれていたのだ。そして、それが愛だと強く認識するためには、痣を肯定する第三者が必要なのだ。

それが究極の愛。

「名前は何といったっけ？」

「奈央子」

俺もまた奈央子の痣に一つずつ、口づけをしていった。


俺の人生は文学の中にある。常識から逸脱したものを哀れみ、普通こそが幸せだと洗脳されきった世界に俺の居場所はない。運命的で劇的な人生は文学の中でのみ体現できるのだ。現実世界での生活など、時代から取り残されたような安アパートの一室で誰とも関わらず、ただ原稿用紙に向かえている程度のものであればそれでいい。

俺の人生は炎とともに焼き尽くされた。それを文学に昇華できれば、思い残すことは何もない。

——そんなふうに思っていた。あの台風の日までは。

ドアの隙間から浸入してくる泥水は半時間もしないうちに水位を三十センチ上げた。畳の上まで上がってくるのも時間の問題だと、泥水から避難するため外に出て、二階への階段を上がると、隣室の住人が立っていた。

杉下希美。

アパートは各階四部屋、計八部屋あり、一階奥の部屋は管理人室、あと七部屋の住人はみな学生らしいが、交流はほとんどなかった。役所に提出する書類の書き方を教えてほしい、テレビショッピングで高枝切りばさみを注文したいのだがどうすればいいのか、そんなふうに声をかけてくるのは、管理人のじいさんだけだ。

別のヤツに訊いてくれと最初は思ったが、こんな安アパートに住んでいる連中というのは学校へ行く以外にも、朝から晩までバイトに出ていて、日中部屋にいるのは自分くらいだと気付き、大概の用事を引き受けてやることにした。だが、隣室に越してきた女子学生もじいさんの部屋に出入りしているようだった。

じいさんが言うには気のいいヤツで、料理を届けてくれるのだという。

「西崎くんも希美ちゃんの料理をわけてもらうといい。おいしいからね。それに、二人はとてもよく似ているから気が合いそうだ」

そんなことを言われて、「のぞみちゃん」に興味は持っていた。だから、二階の手すりに彼女がもたれているのを見たとき、何か話しかけてみようと思ったのだ。そこに、二階の一号室の住人が出てきて、雨宿りをしないかと部屋に促された。

安藤望。

他人の部屋に上がりたいと思ったことはないし、自分の部屋に他人を上げるのも避けたいと思っていたが、激しくなっていく雨脚が背を押してくれた。

他愛のない話をしながら酒を飲み、料理をつまむ。希美と望、同じ名前の二人は出身地もともに聞いたことのない小さな島で、二人の自虐の入った故郷自慢は波の音や潮の香りが漂ってきそうな素朴なものだった。人口も建物の高さも数字の単位が違うのだから。島の人口は数千人。人気アーティストのドーム・コンサートの動員人数が一晩で五万人と聞いたときはゼロの数を間違えているのではないかと思った。島で一番高い山は東京タワーよりも低い。

そんなヤツらなのに、東京に出てきても、今いる世界は狭いと言う。もっと、もっと、広い世界を見るのだと。

どんなに高く遠いところに行こうが、現実世界などどこも同じだ。そんなふうに思いながら二人の話を聞いていると、テレビで『細雪』の映画の再放送が始まった。驚いたことに二人とも、谷崎潤一郎作品を読んだことがないという。それで納得ができた。こいつらは文学の世界を知らないから、現実世界に何かを求めようとしているのだ。

こいつらに「灼熱バード」を読ませてみたらどうだろう。

どんなにもがいても現実は文学に及ばないことに、こいつらなら気付くかもしれない。

しかし、結果は散々だった。安藤は物語における愛の行為を全否定した。杉下は「愛」という言葉を出しはしたが、それを肯定したわけではなく、彼女にとっての究極の愛は「罪の共有」だと断言した。

じいさんがなぜ、俺と杉下が似ていると言ったのかまったく理解できなかった。似ているのは杉下と安藤の方ではないか。

そんな折、じいさんの部屋に不動産業者が出入りするようになった。このアパートがある土地を売ってほしいと頼みに来ているらしい。それを断るにはどうすればいいだろうと相談された。介護付きの立派なマンションに一生住めるのならそれでもいいじゃないかと内心思ったが。

「ここを守れんのなら、人生が終わったのと同じ」

じいさんにそう言われ、この「野バラ荘」にはじいさんしか知らない世界があることに気が付いた。現実の小さな積み重ねがいつしかじいさんの中で昇華し、アパート自体がじいさんにとっての文学作品になっているのだと。それなら、力を貸してやりたいと思った。

しかし、実際に動いたのは杉下だ。彼女なしではこのアパートを守ることはできなかっただろう。ファンタジーのような計画を現実世界で成功させた彼女を見ているうちに、彼女も、そして安藤も、文学の世界を超えた現実に到達することができるのではないかという気がしてきた。

狭いアパートの一室に閉じこもり、原稿用紙に一日中向かっていても、現実を文学に昇華させることができるどころか、昇華させる価値もない現実がただそばを通過していっているだけだということにようやく気付かされたような気がした。

母親から受けた行為はやはり愛などではなく、本当の愛は手を加えて昇華などさせなくても、誰が見ても愛だとわかるかたちで存在しているのではないか。

杉下や安藤についていけば、過去の自分が「かわいそうな子」であった事実を受け入れることができるだろうか。そのうえで新しく、現実世界の中で本物の愛を見つけることができるだろうか。

広い世界という場所に、安藤が旅立ち、杉下が旅立ち、その後に自分も続けるのではないだろうか。そのとき、戻れる場所がここであったらいい。

台風の夜から二年間かけて至った思いは、たった一日、奈央子に出会っただけで一気に打ち砕かれた。

奈央子に出会った翌日の晩、杉下の部屋を訪れた。安藤が出て行ってから、杉下ともあまり会っていない。変わったところといえば、百合の花の彫刻が施《ほどこ》されたドレッサー。テーブルの上には作りたてだというポテトサラダの皿が置かれている。

以前は冷蔵庫いっぱいに総菜の入ったタッパーが詰め込まれていたが、安藤が出て行ったあたりから格段に減っていっていた。安藤に食わせるために作っていたのかと思ったくらいだが、あいつは大食いというほどではない。田舎の島では大家族で住んでいて、多く作る習慣が身に付いていたのが、三年経ってようやく、まとめて作る必要はないと気付いたのだろうか。

持参した白ワインのボトルを開けた。

「杉下、最近も野口氏と連絡取り合ってんの？」

「ときどきね」

「土地のことも落ち着いたんだし、それ目的で近づいたことがバレないためにも、少し距離をおいた方がいいんじゃゃない？」

「でも、土地の情報を教えてもらうために、わたし、野口さんのブレーンになったから」

「ブレーン？　おまえが何の？」

「将棋の。ブレーンっていっても、最近の対局相手は安藤ばかりだから、ぜんぜん時間もとられないし、直接会わなくても電話でどうにかなるから、たいしたことじゃないんだけどね」

奈央子の不安を取り除くために杉下を野口氏から遠ざけようと思ったが、杉下が野口氏の将棋のブレーンを断ると野口氏は安藤との対局に敗れ、奈央子はまた痣を作られることになる。奈央子にとってはそれが愛の証なのだろうが、あの白い肌に新しい痣ができるのは耐え難い。

そもそも、他人の力、それも年下の女子大生の力を借りなければ勝てないようなヤツは勝負などしなければいいのだ。負けて奈央子を痛めつけるところまで楽しみのうちに入っているのだろうか。そうだとすればますます野口氏を負けさせるわけにはいかない。

「しかし、安藤も上司相手に本気を出すことはないだろう。高いところだか、遠いところだか、出世を目標にしてるなら、上司に花を持たせておいた方がいいってことくらいわかるはずなのに」

「安藤がわざと負けてあげられると思う？」

「――ないな」

バカ正直なあいつがそんなことをするわけがない。

「安藤は、杉下が裏で野口さんについてること、知ってるのか?」

「知ってるはずないじゃん。野口さんは安藤のあこがれの上司なんだよ。野口さんは、っていつも褒めてる。そんな人が裏でわたしなんかに頼ってるって知ったら、がっかりするでしょ。野口さんを軽蔑するようなことを本人の前で言っちゃうかもしれない。そうなってソンするのは、安藤でしょ。だから絶対に言わない。西崎さんも言わないでよ」

「俺は安藤とまったく連絡を取ってないから、心配することはない」

「営業の外回りなんかで近くに来たとき、ここに寄るかもしれないじゃない。安藤経由で野口さんを怒らせたら、『野バラ荘』だって危ないんだからね」

「そうだな。でも、杉下も野口氏と連絡を取り合うのは必要最小限にとどめておいた方がいい。おまえと野口氏がこそこそやりとりしてるのを――安藤に気付かれるとやっかいだろ」

「ホントだ。それは気をつける」

上手い具合に話が落ち着いた。何か別のつまみがあればもらおうと冷蔵庫を開ける。

「杉下、近いうちに籠城《ろうじょう》でもするのか?」

冷蔵庫の中はかつてないほどにタッパーがぎっしりと詰め込まれていた。以前ならこれだけ作れば部屋まで届けてくれるか、ひと声かけてくれていたはずなのに。一人で食うつもりなのだろうか。

「特売してたから、つい、買いすぎちゃって。好きなの持って帰っていいよ」

杉下は冷蔵庫の前にしゃがみ込み、テーブルの上にタッパーをいくつも重ね始めた。

「今そんなに出さなくてもいいって。久しぶりだしゆっくり飲もう。新作のプロットを思いついたんだ。聞いてくれよ」

「そっか、じゃあ」

杉下は重ねたままのタッパーをまとめて持ち上げ、ドレッサーの上に置いた。

「そんなところに置いて、汁でもこぼれたらどうするんだ?」

「大丈夫。全然大切なものじゃないから」

「この部屋で一番高そうに見えるけど」

「野口さんの奥さんがいきなり送ってきたの。誕生日でもなんでもないのに」

「一緒に買い物してるときに、おまえが欲しそうに見てたんじゃないの?」

「いらないよ、こんなの。でも、見てたかもしれない」

鏡に映った杉下の表情が一瞬消えたように見えたが、すぐに元に戻る。

「それより、床抜けないかな。これでアパート壊れちゃったら、何のために作戦立てたんだかわかんないよね。もしかして、それが野口家の目的かも。ホントは『みどりビル』も売ることになっていて、でもいい人ぶりたいもんだから、ここを壊せばあきらめるかもって、こんな重いものを送ってきたのかもしれない」

「そりゃないだろ。すごい想像力だな」

「その想像力で、新作のプロット聞いてあげる」

「おまえが沖縄土産にくれた、貝殻の話だ。現実世界では生きられない男の前に、美しい女神が現れる」

「言ったまんまじゃん。ファンタジー？」

「文学だ」

「なんか、ダメっぽい。先に残念会しておこうよ」

杉下は冷蔵庫を開け、発泡酒の缶を取り出した。


テーブルの上には空き缶が六個。腹も満たされ、心地よいけだるさに寝ころぶと、杉下も隣りに寝ころがってきた。

「安藤が出て行って、二人きりになったし、西崎さん素敵って気分になんない？」

「わたしがマイナスじゃなかったら、好きになってたと思う」

「杉下がマイナス？　じゃあ、俺は？」

「マイナス」

「杉下がマイナスとは思えないけどね。仮にマイナスだとしても、マイナスかけるマイナスはプラスになるし、いいんじゃない？」

「ひと昔前の少女マンガの台詞《せりふ》みたい。そんな台詞、応募作にまさか書いてないよね。そもそもかけるって何？　寝ること？　わたしは、人と人のつながりは足し算と引き算だと思ってる。足を引っ張る人。明るいところへ連れ出してくれる人。高いところへ連れていってくれる人」

その理屈でいえば、杉下は俺にとってプラスの人間だ。きっと本物のマイナスを知らないのだろう。マイナス同士が傷を舐め合えばプラスになるということを知っているのは、マイナスの人間だけだ。

「やっぱり、安藤じゃないか」

「誰もいらない。マイナス人間はゼロになるまでは自分でがんばらなきゃ」

「自力でマイナスから脱却できるなんて、たいしたもんだな」

「――いや、最悪な状態から助けてくれた人はいる。助けてって口に出して言えなくて、シャーペンを四回鳴らして頼んだんだ」

「そいつはどこにいるの？」

「さあ、元気で幸せにしてたらいいなあ」

しみの浮いた天井を見上げていると、杉下が手を握ってきた。

「『野バラ荘』を守れてよかったね。西崎さんは――西崎さんだよ」

杉下は「灼熱バード」を最後まで読んだのだろう。トリが俺であることにも気付いている。かわいそうなトリに同情し、手を引いてくれているに違いない。奈央子に出会わなければ、差し出された手が愛ではなく同情だとわかっていても、離さなかったに違いない。

だが、もう出会ってしまったのだ。


奈央子に会うのはいつも、彼女から呼び出しを受けたときだけだった。杉下の目を避けるためか、毎回、アパートから離れた場所で会った。彼女が俺を呼び出すのは、大概、新しい痣ができたときだった。

痣の原因は、安藤に将棋で負けたからではない。野口は職場で何かうまくいっていないことがあるらしい。杉下ががんばっていれば痣が増えないなどという考えは浅はかだったということだ。暴力の理由は何でもいいのだろう。

箸の持ち方が悪い。野菜を残した。――母親と同じだ。

「彼はわたし以上に苦しんでるの」

奈央子は会うたびに涙を流しながら、そう言って痣を見せる。俺はその痣に口づけをし、奈央子も俺の古い傷跡に口づけをする。それ以上のことは何もない。欲しいとは思う。だが、奈央子はそれを望んでいない。

彼女の望みはただ一つ。野口に愛されることだけ。かつて俺が母親に捨てられれば生きていけないと怯えていたように、彼女もまた、野口に捨てられることに怯えている。

彼女が幸せならそれで充分だ。

秋が深まった頃、奈央子からの連絡はぱたりと途絶えた。

呼び出しがないのは、痣が増えてない証。喜ぶべきことなのに、会いたくて会いたくてたまらなかった。出会った日の彼女を思い出しながら、貝殻を耳に当ててみた。波の音すら聞こえなかったはずなのに、痣に唇を押し当てたときにもれる彼女の吐息が聞こえたような気がした。

このまま貝殻を砕いて飲み込めば、吐息は俺だけのものになるだろうか。

テレビでは新しい地下鉄が作られることが決定したというニュースが流れ、それと同時に、不動産屋もアパートの買収からきっぱりと手を引いた。

杉下が野口と関わる理由もなく、奈央子も心穏やかに過ごせているのかもしれない。地下鉄のニュースと同じ頃に安藤や野口の会社の名前を聞くこともあった。油田開発事業に失敗し、大損失が生じたらしい。もしこれが野口氏の関わっていたものなら、奈央子はどんな仕打ちを受けるだろうかと不安が生じたが、奈央子のために購入した携帯電話が鳴ることはなかった。

杉下は夏のあいだに大手住宅メーカーの内定を取り、先月、内定式に出かけていった。深夜・早朝のビル掃除をしながら、館内の移動のしやすさや空調の配置、インテリアのセンスや照明の印象などを自分でまとめたレポートを提出し、高く評価されたというのだからたいしたものだ。バイトはまだ続けているらしく、同窓会に着ていく服と通勤用のスーツを買うのだと、汚れた作業服を洗濯しながら言っていた。

杉下はあと数ヶ月でここを出て行く。

原稿を書き上げ、これが一次選考も通過しなければ、一度きちんと社会に出てみようか。いつしか、そんなことを考えるようになっていた。

年の瀬もせまったある晩、安藤がアパートを訪れた。二人で野口家に行ってきたのだと杉下に言われた。いつもの総菜を軽くつまむと、杉下と安藤は将棋盤を広げ、俺はその隣りで飲みながら、近況を報告しあった。

「安藤、おまえの会社、ニュースに出てたな」

「油田開発事業でしょ。あれって、安藤もちょっと関わってたんだっけ?」

「ちょっとどころじゃない。プロジェクトメンバーの一員だったからさ、大変だったよ」

「こんなところでのんびりしていてもいいのか?」

「今はなんとか落ち着いたからね。でも、絶対誰か飛ばされるな」

「安藤も?」

杉下が手を止め、顔を上げた。安藤は将棋盤を睨んだままだ。

「どうだろう。来年の今頃は、お子様ランチの旗にもなんないところに飛ばされてるかもしれない、なんてね」

「野口さんが決めるの?」

「辞令を出すのはもっと上だけど、あの人のひと声は大きいからなあ。でも、あの人も他人の人事どころじゃないんじゃない？」

「奈央子さんが、あれじゃね」

野口家を訪れたと聞いたときから気になってはいたが、いきなり奈央子の名前が出てきたことに動揺し、グラスを倒してしまった。あれ、とはどういうことだろう。杉下がタオルを持ってきて、テーブルを拭き始める。

「悪いな。……沖縄旅行で会った人だろ？　たまたま安藤と同じ会社だったっていう。長く続いてるんだな」

安藤は土地の件を知らない。俺は野口の名前くらい土産話に聞いたことになっていただろうか。

「そうなの。安藤は野口さんと同じ部署だし、わたしは奥さんの奈央子さんとときどき買い物とか食事に行ってるの」

杉下が答えた。同じ部署ということは油田開発事業の件に野口氏も関与しているということか。入社一年目の安藤なんかとは比べものにならないくらい責任のある立場にいてもおかしくないはずだが、奈央子は大丈夫だろうか。

「そういえば、杉下。このドレッサーもその人からもらったって言ってたな」

安藤が顔を上げた。

「これ？　さっきからずっと場違いなもんがあるなあって思ってたけど、奈央子さんにもらったの？」

「うん」

「メチャクチャ高そうじゃん。なんでおまえだけ、そんなえこひいきされてんの？」

「わかんない」

——痛くて、苦しくて、逃げ出したくなることもあるけれど、別の女にとって代わられるのは絶対にイヤ。希美ちゃんにはきっと耐えられないわ。それを伝えたくて、今日はここに来たのに……。プレゼントも贈ったのよ。

あの日、奈央子は結局、杉下に会わないまま帰っていった。

「怪しいな。もしかして、おまえ、奈央子さんの不倫の片棒かついであげてたとか。希美ちゃんと会ってきたのよ、って言ってたら野口さんも疑わないだろうしさ」

「そんなことするはずないじゃん。何よ、奈央子さんが不倫なんて。今初めて聞いた」

「まあ、なんつっか、噂だ、噂——それより、俺、この勝負、勝つかもよ」

杉下が将棋盤の前に座り、あっと声をあげた。

「ちょっと待って、このパターンだと……」

ぶつぶつ言いながら、腕組みをして目をつむる。奈央子の不倫の噂とは、相手は俺だろうか。気になるが、あまり突っ込んで訊くと、逆に疑われることにならないだろうか。さりげなく、さりげなくだ。

「不倫って。野口夫妻は理想的な夫婦だとか言ってなかったか？」

「まあ、噂だからな。相手はすごいきれいな顔をした男だって。俺、初めてそれ聞いたとき、西崎の顔が浮かんだよ」

安藤がニヤニヤしながら俺を見る。

「勘弁してくれ。俺はそんなゴシップとはかけ離れた世界で生きてるんだ。見ず知らずの夫婦のことより、おまえたちはどうなんだ？　安藤、俺の部屋には絶対に泊めてやらないから、あとは二人で仲良くしてくれ」

「おまえの部屋に音が筒抜けなのに？　どうする、杉下」

「――ダメかもしれない」

将棋盤を睨み付けたまま、杉下がつぶやいた。

「残念だな、西崎。希美ちゃんは将棋のことで頭がいっぱいだ。聞き耳たてても、つまんない会話しか聞こえてこないぞ」

それどころではない。

「勝てないのか、杉下」

「多分、無理」

「あっさり引き下がるな。打開策が何かあるだろう」

「おいおい西崎、何、杉下の肩持ってんだ？　俺が本気を出せばこんなもんだ」

「——そうだな。最後まで、健闘してくれ」

将棋盤に二人が向かい合ったのを確認し、自室に戻った。

結果は五分も経たないうちに出たようだ。薄い壁越しに、安藤の勝ち誇った笑い声と杉下の「悔しい」というあまり悔しそうではない声が聞こえてきた。杉下は何かを得るための手段ではない勝負なら、負けてもまったく気にならないのだろう。

次の対局で安藤は野口を打ち負かし、負けた腹いせに野口は奈央子に痣ができるほどの暴力を振るい、奈央子はその行為が愛であることを確認するために俺を呼び出すだろうか。

俺はいったい何を望んでいるのだろう。

杉下と安藤が野口や奈央子の話をしないかと、壁際に寝ころんだ。

——わたし、奈央子さんが流産したのはかわいそうだけど、野口さんがいてくれるから大丈夫なんだろうなって思ってた。どんなときでも守ってくれるって感じだし、野口さんを見てると本当に奈央子さんを愛してるんだなってものすごく伝わってくるし。かわいそうだけど、なんかうらやましいなって。

――確かに、愛されてはいるんだろうね。

――なのに、さっき、不倫がどうとか言ってた。

――ただの噂だって……。

安藤は言い渋っている様子だが、杉下は粘っている。俺も壁に耳を押し当てた。

――夏頃に年下の男と腕を組んで歩いてたとか、ホテルに入るのを見かけたとか。奈央子さんは結婚前、うちの会社の受付をしていたから、ほとんどの社員が奈央子さんの顔を知ってるんだよ。そのうえ、相手はものすごく顔のきれいな男らしいから、みんな興味津々って感じで、あっという間に広まったんだ。

――きれいな顔って、西崎さんみたい。

――俺もあいつの顔が最初に浮かんだ。でも、西崎と奈央子さんなんて何の接点もないだろ。それとも、奈央子さん、ここに来たことあるのか?

――一度だけある。「野バラ荘」ってアパートに住んでるって言ったら、素敵な名前ね、ぜひ一度見てみたいわ、って言われて連れてきてあげたの。

――名前とのギャップに、驚いてただろ。

――びっくりした顔して眺めたあとに、『大草原の小さな家』みたいで素敵ね、って言われた。開拓ってイメージだったのかな。

——必要最小限のものしかないからな。そのときに西崎に会ったとか。

——ううん、会ってない。

——まあ、西崎のはずないよな。

——そうそう。きれいな顔なんて言うから、西崎さんを思い浮かべたけど、イケメンなら掃いて捨てるほどいるじゃん。

——それにしても、あのチェーン、どう思う？

——あれは正直、ちょっと怖かった。

——奈央子さんが監禁されてるのって、流産のせいじゃなくて、噂が野口さんの耳に入ったからじゃないかな。でも、噂も流産も本当だとしたらどっちの子だったのかな。本当に転んで流産したのかな。野口さんは杉下が思うほど立派な人じゃないからな……。

今すぐ隣室に駆け込んで、もっと詳しく訊き出したかった。奈央子が監禁されている？原因は流産？　いったいどういうことなんだ。奈央子は野口から暴力を受けていなかったから、俺に連絡してこなかったのではなく、酷い目にあいすぎて連絡してくることができなかったのではないか。

チェーンがどうのと言っているが、閉じこめられているのなら、ここに助けを求めに来ることもできない。電話、メール……こんな時間に連絡をよこしてくるヤツなんて、不倫相手じゃなくても不審に思われるはずだ。いや、監禁されているのだとしたら、まず最初に通信手段を絶たれているに違いない。どうすればいい。

杉下と安藤に相談してみようか。奈央子とのことを打ち明けて。不倫相手は俺ではないかと、多少、疑っているようなところもあるのだし、話は早いだろう。だが、土地のことを知らない安藤にはどこまで話せばいい？

とりあえずは、杉下だ。


翌日の午後、安藤が帰ったことを確認して、杉下の部屋を訪れた。

「奈央子のことを教えてほしい」

杉下はポカンとした顔をしている。

「やっぱり、西崎さんだったんだ。でも、いつのまに？」

夏の日の夕方、奈央子と出会ったいきさつをかいつまんで話した。奈央子が杉下に会いに来た本当の理由は伏せ、たまたま近くまで来たから、ということにして。

「奈央子さんが野口さんに暴力を振るわれてたなんて、まったく気付かなかった」

「疑ってるのか？」

「ううん。あのドアチェーン見たら、野口さんにそういう面があるかもしれないって思える。だからって、うまいことなぐさめてつきあい出すなんて、ちゃっかりしてる。でも、文学の世界に不倫はつきものだもんね」

「そういう言い方はされたくない。それより、奈央子はどうなってるんだ」

「別人みたいだった。流産したって言ってたから、体調はよくないんだろうけど、目の焦点は合ってないし、いきなりボロボロ涙こぼし出すし、精神的なダメージの方が大きいんじゃないかな」

「そんな状態なのに、何もせずに帰ってきたのか？」

「だって、わたし、奈央子さんきらいだもん」

「きらいでも、助けてやったっていいじゃないか。こんなドレッサーまでもらっといて、よくそんな薄情な言い方できるな。それとも、ダンナの方に気があるのか？　奈央子が弱っているあいだに、エリートダンナに取り入るつもりなんだろ」

「バカ言わないで。わたしは、他人の部屋に無断でドレッサー送りつけてくるような女がこの世で一番きらいなの。それから、野口さんみたいなエゴイストも大きらい。あんな夫婦、おかしくなってざまあみろって思ってる。それに、壊れた人間の手助けももうたくさん。なんでわたしが他人の面倒までみなきゃいけないの。辛いことがあったら現実逃避すればいいってもんじゃないでしょ」

「杉下、大丈夫か?」

「わたし何かヘンなこと言ってる? 奈央子さんを助けたかったら、西崎さんがどうにかすればいいじゃん。暴力は前からだったかもしれないけど、流産させられたのは西崎さんのせいかもしれない。野口さん、奈央子さんのおなかにいるのは不倫相手の子だって思ったんじゃないの?」

「俺たちはそんな関係じゃない」

「二人で会ってたのは事実でしょ。野口さんが高級なドアに穴あけて安っぽいチェーンを付けたのは、とにかく思い立ったらすぐにどうにかしたかったからよ。そんな人が、最後までやったかどうかなんていちいち訊くはずないでしょ」

「俺の、せいなのか」

「知らない。でも、わたしは関係ないから」

杉下はそう言うと、俺に背を向け、キッチンスペースの流しの前に立った。足元にある段ボールからジャガイモを両手で抱えて取り出し、流水でじゃぶじゃぶと洗う。皮を剝き、ざくざくと包丁で切る。冷蔵庫から肉のパックを重ねて取り出し、ざくざくと切る。にんじんもたまねぎもざくざくと切る。流しの下の物入れから大きな両手鍋を取り出し、ガスコンロの上に置くと、油を数滴垂らして――火を点けた。

俺に出て行けと言いたいのなら、一言そう言えばいいだけだ。なのに、いきなり料理を始めるとは。隣室の気のいいヤツが、今日初めて会った他人のように見えて、俺は部屋を出て行った。


奈央子のことをどんなに深く思っても、実際に行動に移せないのでは、彼女を助け出すことはできない。六畳間で一人で年を越しながら、彼女の幸せを願ってみても、それは自分自身をなぐさめる行為にしかすぎないということもわかっている。なんてことはない、俺は「かわいそうな子」のままなのだ。

正月のあいだ一度も賀状が入ることのなかった郵便受けを開けると、分厚い茶封筒が入っていた。定期購読している文芸誌《白樺》の最新号だ。確か、白樺文学賞の途中経過が載っているはず。その場で封筒を開け、雑誌をめくった。

俺の名前がある――一次選考通過。応募者二千人の中の百人に選ばれている。タイトル「貝殻」、奈央子への思いを綴った物語は文学へと昇華しかけている。

その足でじいさんの部屋に行き、雑誌を見せ、杉下はいつ帰ってくるのかと訊いた。

今晩帰ってくる。

気持ちを整理しておくには、充分な時間だった。

ドアフォンを押したのは、杉下の方だった。

「このあいだはごめん」

地酒の箱を差し出してきた。謝られる筋合いはない。せっかくの酒だからと、杉下を部屋に上げた。

「実家は、楽しかったか。じいさんから、上京して初めての帰省だって聞いたけど」

「うん。同窓会に行ってきた」

「そうか、よかったな」

俺は同窓会など出席したことがない。そんなことよりもこちらが先だ。《白樺》を黙って杉下に手渡した。何度も見ていたためか、当該ページがすぐに開く。

「西崎さんの名前が活字で載ってる。すごい！『貝殻』って、前に言ってた話でしょ。一次通過したんだ。おめでとう」

茶化されることなく「おめでとう」と言われ、やはり頼めるのは杉下しかいないと再認識し、切り出した。

「杉下、俺は奈央子を助ける。俺には彼女が必要だということが、ようやくわかったんだ。ただ、一人でやれる自信がない」

　杉下は《白樺》を閉じ、俺の前に置いた。

「奈央子さんを、どうしてあげたいの？」

「一度、外に、安全なところに連れ出したい」

「それで何か変わる？」

「歪《ゆが》んだ空間にずっといると、そこが歪んでいることに気付かなくなる。外に出て、自分がいた場所が歪んでいることを認識して、それでも戻りたいなら戻ればいい」

「それくらいなら、なんとかなるかも」

　思いがけない返事だった。

「協力してくれるのか？」

　杉下は箱を開け、「青景島」と書かれたラベルのついた青いボトルを取り出した。冷蔵庫の上からグラスを二つ取り、氷を入れて静かに注ぎ、一つを俺の前に置いた。

「ここであったかわいそうな女の子と王子様のファンタジーの延長でよかったら」

　意味不明だが、協力してもらえるのなら何でもいい。乾杯をする。

「で、どうするんだ？」

「『シャルティエ・広田』っていうお店知ってる？　なかなか予約のとれない有名なフレンチレストラン。王子様はそこでバイトをしてるの」

「そういうところは興味がないな」

「奈央子さんと野口さんの思い出深いレストラン」

「それで？」

「スペシャルなお客様には出張サービスもやっていて、王子様は主にそっちの担当をしてる。わたしは野口さんに、奈央子さんを元気づけるために、二人の思い出のレストランの出張サービスを頼んでみては、と提案してみる。そこにどうにか紛れ込んで来てみたらどうかな」

「そんなことできるのか？」

「西崎さん次第」

「杉下はそのときどこにいるんだ？」

「多分、一緒に食事をってことになるかな。そうしたら、きっと安藤もいる」

「俺一人で奈央子を連れ出すのか？」

「わたしはしない。あと、野口さんにわたしや安藤が連れ出しに協力したって、絶対に思われないようにしてほしい」

「出張サービスに紛れ込むといっても、どうすればいいんだ」

「王子様に頼もう。彼ならなんとかしてくれる。近いうちにここに来てもらうから、出張サービスが可能かどうか確認して、いけそうだったら一緒に頼もう。でも、深刻には頼まないで。彼はやさしいから、失敗するとものすごく気にすると思うの。失敗して当然、成功すればラッキー。そんな感じでいこうよ」

「大丈夫なのか?」

「それで『野バラ荘』も守れたじゃん」

そう言われると、今回も成功するのではないかと思えてきた。

杉下が協力者を王子様とたとえた延長で、奈央子をお姫様に、野口を悪の大王にたとえ、学芸会風にシナリオを考えてみることにした。すると不思議なもので、俺自身なにかとても楽しいイベントにこれから参加するような気分になった。


王子様と最初に対面した五日後、奈央子から電話がかかってきた。野口氏と食事に出た際、公衆電話から、俺に助けを求めてきたのだ。

「真人、助けて。来週末、家に希美ちゃんが食事に来ることになったの。主人と書斎にこもって将棋をするはずだから、連れ出してほしいの。この電話は、今、急に思いついて『ラ・フルール・マキコ』という花屋に赤いバラを夕方六時に配達してくれるよう注文をしたことにするから、その花屋のフリをして来てちょうだい。お願いよ」

野口氏に食事を提案し、出張サービスを予約させ、食事の前に書斎にこもり将棋をするように持っていく。杉下は確実に計画をすすめていた。

王子様も、あまり乗り気ではなさそうだったが、協力してくれることになった。

あとは、俺次第だ。

一月二十二日、計画実行日。五時三十分。花屋は客が店の外に溢れ出すほど混み合っていた。花を買いたいヤツがこんなにもいるとは思わなかった。後ろに客が何人も控えているというのに、あれだこれだと迷いながら注文しているヤツを押しのけて、赤いバラをバケツごと買ってやろうかなどと頭の中では思ったが、こんなところでイライラしているわけにはいかない。ようやく買い終えたが、時計はすでに六時を五分まわっていた。

マンションに到着したのは六時二十五分。約束の時間を過ぎ、奈央子は不安がっているかもしれない。エントランスで受付をすませ、エレベーターホールに向かった。ちょうど上がったところらしく、下りてくるのを待つのももどかしい。

——そこに、安藤がやってきた。

安藤はもっと遅く到着するはずではなかったのか。こいつが一緒では、杉下が引き留めていても、野口は書斎から出てくるだろうし、その前に奈央子を連れ出そうとしても、安藤に邪魔をされそうだ。

不自然に思われないように話しながら、考えた。

計画のことを打ち明けようか。少しのあいだ、安藤を野口家から遠ざけることはできないだろうか。だが、到着したエレベーターに一緒に乗り込むと、安藤は最上階のボタンを押した。約束の時間までラウンジに行くのか。内心、胸をなで下ろし、四十八階のボタンを押した。

「それにしても、すごい偶然だな。杉下が注文したのか?」

「いや、野口夫人だ。いろいろ縁があってね。——ところで、安藤。すごいことがわかったぞ。以前、杉下が言ってた、究極の愛とは罪の共有だ、という話、あれは実話だ。その相手におまえも今日会えるから楽しみにしておけ。わりといいヤツだ」

俺から注意をそらすために言ってみた。ラウンジにいるあいだじゅう、安藤は杉下のことを考えるはずだ。

四十八階で安藤と別れ、野口家に向かった。

重厚な作りのドアには杉下から聞いた通りの安っぽいドアチェーンが取り付けられ、そこだけひどく浮いて見えた。インターフォンを押すと、奈央子の声が返ってきた。

「『ラ・フルール・マキコ』です。ご注文の品を届けに来ました」

野口でなかったことに安心したものの、機械ごしでも弱っていることがわかる奈央子のかよわい声に、気持ちが波打つ。ドアが開けられた。目の前に立つ奈央子はひと回り小さくなってしまったかのように弱々しくやつれ、目に生気はなく、立っているのがやっとという様子で腕に手を伸ばしてきた。

「助けて」

「わかってる、行こう」

玄関に花を投げ込み、奈央子の腕を引いた。だが、思いがけない力で踏ん張られる。

「違うの。中なの、中にあの子がいるの」

奈央子は俺の腕を引き、中に入れると、ドアを閉めた。

「どういうことなんだ」

「あの子が奥の書斎に、主人と二人きりでいるの。年が明けた頃から、二人でこそこそと連絡を取り合ってたの。安藤くんと二人で食事に招待したのに、主人はあの子だけ早めに呼び出したの。お願い、あなた、あの子の恋人なんでしょ。連れて帰ってよ。あの子を連れて帰って、二度とここへ来させないで」

「俺は、あいつの恋人じゃない」

「わたしを騙したの？　あの子の恋人で、あの子を説得してくれると思ったからやさしくしてあげたんじゃない。汚い傷を舐めてあげたんじゃない」

汚い傷を舐めてあげた――。

「おい、何してるんだ」

廊下の奥から声がし、大柄な男がこちらに向かってきた。こいつが野口か、と認識したと同時に左の頬に拳が食い込んだ。足がもつれ、ドアに背をつけ倒れ込む。男はさらに俺の胸ぐらをつかみ、拳を振り上げた。

「おまえだろ、奈央子に言い寄っていたのは。俺たちの子が死んだのはおまえのせいだ」

「違う、そんな、関係じゃ、ない……」

「黙れ、おまえさえいなければ、俺が、奈央子を疑うことはなかったんだ」

奈央子に不倫の噂が流れ、奈央子が妊娠していることにも気付かず、いつもより激しい暴力を振るい、流産したということだろうか。言いがかりもいいところだ。それよりも、逃げなければ。後ろ手でドアの取っ手を握り、押し開けると、ガチャリと安っぽい金属音が鳴った。

チェーンがかけられている。

ドアに背を押しつけられたまま、左のこめかみに拳が叩き付けられた。朦朧《もうろう》とする意識の中、足元に落としていたバラの花束を手に取り、男の顔面をはたく。男が一瞬手をゆるめた隙に奥に回り込み、ドアが開いたままになっている一番手前の部屋に向かった。

廊下には蒼白な顔でこちらを見ている奈央子の姿、そして、奥には杉下の姿が見えた。

部屋に飛び込み、何か身を守るものをと、奥のキッチンカウンターの上にあった包丁を手に取った。だが、外に出られないこの状況でいったいどうすればいい。安藤が来るまで、成瀬が来るまで、時間稼ぎができるだろうか。

男が飛び込んできた。ダイニングテーブルを挟んで向かい合うかたちになり、包丁を構えたが、テーブルを押され、つまずいた拍子に、包丁を奪われてしまう。殺される。

「やめて!」

杉下の声が響いた。男の肩越しに、細長いシルバーの花瓶を振り上げている姿が見えたが、はじかれたように俺の隣りに転がり込んでくる。と同時に、男が低い呻《うめ》き声をあげて倒れた。

奈央子が立っていた。片手にシルバーの燭台《しょくだい》を持ち、倒れた男を呆然《ぼうぜん》と見つめている。

燭台には赤い血がこびりつき、男の後頭部からは同じ色の血が流れていた。

「なんで……」

杉下がよろよろと立ち上がり、テーブルの上から折りたたんだままのテーブルクロスを取ると、男の脇に座り込んだ。

「触らないで！」

奈央子が杉下を突き飛ばす。

「この人に触らないで。彼はわたしだけのものよ。あなたには指一本触らせない。ここから出て行って、早く！　あんたもよ」

あんたもよ、俺に向けられた言葉だった。だが、奈央子一人を残しておくわけにはいかない。

「早く！」

奈央子が男の手から包丁を取り、刃先を俺の方へと向けた。

「西崎さん、行こう」

杉下が奈央子の様子をうかがいながら、俺の腕を引いた。立ち上がり、奈央子を見つめたが、奈央子の目は全力で俺たちを否定していた。刃先はこちらに向けられたままだ。

「奈央子、落ち着くんだ。おまえはこの男に暴力で支配されていたんだ。暴力が愛だと思い込まされていたんだ」

「西崎さん、ダメ」

「奈央子、かわいそうに、流産までさせられて。解放されたかったんだよな、自由になりたかったんだよな。俺を、助けてくれたんだよな」

「──わたしのため。この子に貴弘さんを奪われる前に、わたしのものにしたのよ。お願い、もう二人きりにして」

「行こう、西崎さん」

杉下に背を押される。部屋のドアの前で足を止めた。

「外には、出られない」

「どういうこと?」

「外側のチェーンがかけられているんだ」

「誰に」

「わからない」

「安藤、じゃないよね」

泣きそうな顔だ。安藤がもうこのマンション内にいることを知っているのか。

「安藤がそんなことをするはずないだろ。奇妙なものが目立つように付いてるんだ、マンションに住んでいる子どものイタズラかもしれない。とにかく、こちらから助けを呼ぶか、誰かがここに来るのを待つかしない限り、俺たちは外に出られない」

「奈央子さん!」

杉下が振り返り、悲鳴をあげた。男に寄り添うように倒れた奈央子の脇腹に包丁が突き刺さっている。

「わたしのせいだ」

杉下がつぶやいた。

「わたしが計画通り、野口さんを書斎に引き留めておけば、こんなことにはならなかったはずなのに。それに、花瓶なんて振り上げなきゃ……。野口さんを殴ろうとしてたんじゃないのに。何か高そうなものを叩き壊せば、そっちに気がそれるって思っただけなのに」

「いや、俺のせいだ。嘘でもいいから出て行くフリをしておけばよかったんだ。ここから出られないことがわかったから、奈央子は自分を刺したんだ」

まったく予測できなかったことではない。オレンジ色の虫たちに侵食されていく母親を起こさなかったのと同じように、俺は奈央子を助けようとしなかった。包丁を持っていようが、やせ細った奈央子を抱きしめておくことなど、容易《たやす》いことだったはずなのに。汚い傷痕。それが愛ではないことくらい、ずっと昔から知っていた。

「杉下、野口を殴ったのは、俺だ。奈央子を刺した野口を俺が殴り殺した」

男の足元に転がった血のついた燭台を手に取り、両手で握りしめて、もとあったところに置いた。

「何言ってるの？　野口さんを殺したのは奈央子さん。奈央子さんは自殺じゃない。なんでそんな嘘をつかなきゃいけないの」

「奈央子を人殺しにしたくない」

「だからって、西崎さんが罪をかぶることないでしょ」

「俺はかつて、ある人を見殺しにした。この世で一番愛され、愛している唯一無二の人だと思っていた。その人の愛を永遠にするために見殺しにした。――そう自分に暗示をかけるため、愛などなかったその人との世界に、愛があったことにしようとした」

「でも、その人と奈央子さんは関係ないんでしょ」

「罪を償って、解放されたいんだ。まちがった愛から……。奈央子が野口を殺したのは、愛していたからだ」

「精神的に弱ってたから、そんなふうに思い込んでいただけかもしれないじゃない」

「それでも、殺人の動機は愛だ。人の命を奪うという行為に対する理由が、愛なんて尊い言葉であっちゃいけない。俺が犯人なら、動機は復讐になる」

ドアの横の壁に設置された電話が鳴った。フロントから。出張サービスが来たという。

「キャンセルだ」

受話器を置いた。

「杉下は何も見ていないことにしろ。ずっと奥の書斎にいて、野口だけが出て行ったことにすればいい。すべて終わったあとに、おまえは出てきたんだ。だから、今、ドアにチェーンがかかっていることも知らない」

「そんな嘘、つきとおせる自信がない」

「おまえの究極の愛は、罪の共有なんだろ。野原のじいさんが言うには、俺たちは似たもの同士らしい。愛はないかもしれんが、罪を共有してくれ」

再び電話が鳴った。

「王子様が助けてくれる。今度は、杉下が出ろ」

俺は受話器を杉下に差し出した。

十年後

高いところから見下ろしたかったものは、結局、なんだったのだろう。

事件後、わたしは西崎さんとも野口夫妻とも何の関係もなかったかのように、社会に出た。高層マンションの一室を買い求めに来た客を案内し、すばらしい眺望ですよ、とお決まりの台詞を言いながら、だからどうしたというのだ、と心の中でつぶやいていた。

わたしが求めていたのは、ここではないどこか、誰かが手を引いて連れていってくれる場所——それだけだったのかもしれない。

あの事件の日、わたしは書斎に引き留めておかなければならなかった野口さんに、奈央子さんの不倫相手が今まさに奈央子さんを連れ出そうとしていることを、わざと打ち明けた。

わたしを高いところまで連れていってくれた、安藤望のために。

時間をかけながら少しずつ勝てる方向に駒を進めていると、野口さんは信じがたいことを口にした。

「安藤の僻地《へきち》行きは決定だな」

それを賭けた五番勝負をしていたと、何の悪気もなさそうに、むしろおもしろがっているように言われた。わたしが野口さんのブレーンになったことで、安藤が僻地に飛ばされる。そんなこと、絶対にあってはならない。

阻止するためには、西崎さんが数発殴られて、傷害罪で野口さんを訴えればいいのではないか——。

あのときあんなことをしなければ、と何度も後悔し、それでも、安藤がお子様ランチの旗にある国に責任のある立場で赴任《ふにん》すると聞いたときには、これでよかったのだと心から思えた。

これを西崎さんに打ち明けたら、彼はわたしを許してくれるだろうか。けれど、きっと彼もわたしに隠していることがあるはずだ。奈央子さんのためか、安藤のためか、それともわたしのためか。とにかく、自分自身ではない誰かのために。

西崎さんの部屋はおじいちゃんが「野バラ荘」に残してあった。彼は今もそこにいるのだろうか。願わくは、炎の恐怖から解放されていてほしい。そのために、罰を受けるという炎の中に飛び込むことを選んだはずなのだから。

炎により、わたしを解放してくれた成瀬くんは故郷の海の近くにレストランを開いた。一度訪れたあと、弟から病気のことが伝わってしまい、相変わらずしぶとく生きている父親が手配してくれた、海が見える白いお城のような病室に、ときどき会いに来てくれる。

何かしてほしいことはないかと訊かれ、事件の真相を知りたい、と言いそうになってしまったけれど、やめた。

代わりに、何かおいしいものを作ってほしいと頼んだ。わたしにではない。

わたしの人生に愛をくれた人たち——Nのために。

解説

千街晶之（ミステリ評論家）

ごく稀にではあるけれども、たった一冊の本が、エンタテインメント界全体の潮流を一気に変えてしまうことがある。湊かなえのデビュー作『告白』（二〇〇八年）は、そんな革命的な作品のうちのひとつだった。

幼い一人娘を自分の教え子に殺された中学校教師の復讐を描いた短篇「聖職者」で二〇〇七年に第二十九回小説推理新人賞を受賞した著者は、この受賞作を第一章として組み込んだ長篇『告白』を翌年に上梓した。この本が、新人のデビュー作としては異例と言えるほどの話題作となったのだ。《週刊文春》年末恒例のベストテン投票で国内部門一位に選ばれ、翌年には第六回本屋大賞を受賞。中島哲也監督による映画化（二〇一〇年）も追い風となった。現在、累計部数は三百万部を超えている。

湊がデビューする前の数年間、エンタテインメント界では「癒し」という言葉が持て囃され、人間のダークな部分に着目した作品は不遇な扱いを受けていた。その傾向を一気に変えたのが『告白』である。ミステリ界では、主に人間の悪意などの負の側面を扱った、厭な読後感を残すタイプの作品が「イヤミス」という言葉でカテゴライズされるようになり、湊のデビュー以前からその種のミステリを発表していた沼田まほかる、真梨幸子らの作品が注目された。単に話題作となったのみならず、エンタテインメント界の流行さえ大きく動かしたという意味で、『告白』はミステリ史に残る作品となり得たのである。

湊自身の作品で言えば、人間の死を目の当たりにしたいという願望を抱く二人の少女が登場する第二作『少女』(二〇〇九年)、級友を殺した犯人の顔を思い出せなかった四人の少女の運命が十五年後に狂い出す第三作『贖罪』(二〇〇九年)も、デビュー作同様に「イヤミス」に分類し得るだろう。だが、それらとは一味違う作風を初めて披露したという点で注目したいのが、著者の第四作である本書『Nのために』なのだ。

本書は東京創元社の雑誌《ミステリーズ!》の33〜37号(二〇〇九年二月〜十月)に連載され、翌一〇年一月、東京創元社から刊行された。主要登場人物は、死亡する二人を含めて六人。彼ら全員のイニシャルにNがある。タイトルのNとは誰なのか、Nのためにとはどういうことなのかを、読者は常に意識しながら読み進めることになるだろう。

東京の超高層マンション「スカイローズガーデン」の四十八階で、住人である大手総合商社課長・野口貴弘とその妻・奈央子が変死した——夫は頭部を殴られ、妻は脇腹を刺された状態で。現場には、血まみれの燭台を手にした西崎真人という青年がいた。他に現場に居合わせたのは、野口夫婦の招待客で西崎とは隣人同士の杉下希美、ケータリングサービスのために野口家を訪れたフレンチレストランのアルバイトで杉下とは同郷の成瀬慎司、野口家に遅れて到着した杉下の友人で貴弘の部下の安藤望の三人。西崎は妻を刺した貴弘を自分が撲殺したと自白し、貴弘殺害の犯人として逮捕される。他の三人の証言も、西崎の自白を裏付けるものだった。

ここまでは第一章において、杉下・成瀬・西崎・安藤それぞれの証言のかたちで説明される。だが、第一章の末尾には、それから十年後の、関係者のうちの誰かによる述懐が添えられている。長くて半年という余命宣告を受けたその人物は、十年前の事件で「みんな一番大切な人のことだけ考えた。一番大切な人が一番傷つかない方法を考えた」ことを回想し、「真実をすべて知りたい。そして、知らせたい」と願うに至った……。

章ごとに主人公を変え、それぞれの視点からの主観を物語るのは、デビュー作以来の著者の得意技である。本書でも、第二章以降は四人の関係者が、事件の十年後、あのような惨劇が起こるに至った経緯、そして事件の際に自分が何をしたかを一人称で回想する。そこでは、第一章における彼らの証言が実は偽りだらけであること、そして彼らの過去のつながりや、各自が自分の心の中だけに封印してきた事実が次々と明らかになる。しかし、主観はあくまでも主観であり、それぞれの思い込みや誤解によって事実は歪められている。主人公が交替するたびに、他の人物が知らない事実が読者の前に提示されてゆくプロセスの意外性とスリリングさが、本書の大きな読みどころとなっている。

ところで、それまでに著者が発表した三作品のタイトルは、『告白』『少女』『贖罪』と、二文字の漢字で統一されていた。内容的には独立している三作品を印象の似通ったタイトルで揃えてきたからには、本書でそれまでとタイトルのパターンを変えたことにも意味はある筈だ。

著者のそれまでの作品のような「イヤミス」的な要素が本書にないわけではない。例えば、野口夫婦の関係はかなり陰湿なものを感じさせるし、ある登場人物の生まれ育った家庭の描写などは、人間の負の部分を容赦なく抉り出す著者ならではの迫力が漲っている。しかし、本書の読み心地は、明か暗かでいえば「暗」ではあっても、『告白』のような劇薬めいたインパクトはない。それまでの作品の登場人物たちが、くっきりとした輪郭とともに読者の前に浮かび上がってくるイメージだったのに対し、本書の登場人物たちには、薄いヴェールを透かして眺めているような印象が漂い、静謐さや切なささえも感じさせるのだ。

これは、本書が本質的に恋愛小説であることに起因しているに違いない。しかし、それまでの著者の小説とは異なり、登場人物たちはさほど自己主張が強いわけではないため（タイトルの統一性を崩したのはそのあたりの違いを強調したかったからだろう）、それぞれの恋心も秘められたものにならざるを得ない。

四人の男女は、事件当日の自分の行動や見聞の少なくとも一部を証言しなかった。もし彼らのうちの誰かひとりでもその行動に出なければ（あるいは証言していれば）、あのような惨劇は起きなかったかも知れないし、その後の決着も異なったものになっていただろう。しかし彼らは、自分の行為を心の中に、十年ものあいだ封印し続けている。それぞれが、自分の恋する相手のために──Nのためにしたことだからだ。見返りを求めることもなく、相手に知られることも望まない、純粋な献身。

当然ながら、四人の男女は自分以外の人間が抱えている秘密のことは知らない。それを知り得る立場にあるのは、神の視点で彼らの内心を覗き込んでいる私たち読者だけなのである。本書の狙いについて、著者は《小説すばる》二〇一四年六月号掲載のインタヴューで、「『Nのために』は、立体パズルを作りたいな、と思ったんです。登場人物たちは、最後まで誰が嘘をついているか分からない。人の気持ちの奥底を追求するというよりは、読む人だけが立体パズルを組み立てることができて、最後には、そうかこんな形式だったのかと分かる小説を」書きたかったと説明している。

この精緻を極めた立体パズルの部品となるのは、人間の哀しいすれ違いである。そして、それらのすれ違いを描くために、著者はさまざまなエピソードを巧みに積み重ねてゆく。例えば、高校時代の杉下と成瀬をめぐるシャープペンシルのエピソード。杉下はシャープペンシルを鳴らす回数によって成瀬に気持ちを伝えようとするのだが、その解釈が杉下と成瀬では異なっているのが何とも切ない。高層ビル清掃のゴンドラのくだりも、記憶に残る名場面だ。誰よりも近い場所にいながら、全く違うことを考えていた二人のすれ違いが、あとになって重要な意味を伴って浮上してくるのだ。片思いの相手が別の人間に片思いしていたり、両思いなのに互いにそのことに気づいていなかったり……そんなままならない人間関係が織り成す複雑かつ皮肉な人間模様を、著者は微かな辛辣さも交えつつ、基本的には優しい眼差しで描こうとしている。どうしても人間の負の部分を描く作家というイメージが強い著者だが、連作『往復書簡』（二〇一〇年）あたりからは、人間の明るい部分に目を向けた作品も書くようになっている。今の時点から振り返るなら、その萌芽が含まれている作品として本書を再評価することも可能かも知れない。

しかし――すべてを読み終わってから、再び第一章の最後に戻ってほしい。もしこの人物が、「残された時間がわずかと知ると、欲が出てしまう」「真実をすべて知りたい。そして、知らせたい」という衝動に身を任せて、今まで心に秘めていた真実をすべて語り、それにつれて他の人物も互いの秘密を知るようになったなら、事態は一体どう変化するのだろう。人間の思いは言葉にしなければ伝わらない。だが、言葉にすることで壊れるものもある。累卵のバランスで組み立てられていたこの立体パズルは、誰かが真実を告白した瞬間、ばらばらに崩れ去ってしまうのか、それとも新たなかたちへと再構築されてゆくのだろうか……。読後、そのあたりを想像してみるのも、本書の愉しみ方のひとつなのである。

最後に付け加えておくと、本書は著者のデビュー後に書かれた実質的に最初の小説である。どういうことかというと、先述の《小説すばる》掲載のインタヴューによれば、『告白』の単行本が刊行された時点では『少女』と『贖罪』は既に八割くらいまで執筆が進んでおり、プロ作家になってから書きはじめた一作目が本書だというのである。ということは、『告白』でいきなり人気作家になった強烈なプレッシャーの中で、初めて執筆されたのが本書ということになる。そのような状態でこれほど完成度の高い小説に仕上がったということも、著者の実力の証左と言えるだろう。

本作品は二〇一〇年一月、東京創元社より単行本刊行されました。

双葉文庫

み-21-05

Nのために

2014年 8月28日 第1刷発行
2024年10月16日 第44刷発行

【著者】
湊《みなと》かなえ

【発行者】
箕浦克史
【発行所】
株式会社双葉社
〒162-8540 東京都新宿区東五軒町3番28号
［電話］03-5261-4818(営業部) 03-5261-4831(編集部)
www.futabasha.co.jp（双葉社の書籍・コミックが買えます）
【印刷所】
大日本印刷株式会社
【製本所】
大日本印刷株式会社
【カバー印刷】
株式会社久栄社

【フォーマット・デザイン】
日下潤一

ISBN978-4-575-51704-0 C0193
Printed in Japan